Pour Comprendre les Maths

CM1

Jean-Paul Blanc
Directeur d'école

Paul Bramand
Professeur agrégé

Claude Maurin
Formateur en mathématiques

Natacha Bramand
Professeur des Écoles

Éric Lafont
Professeur des Écoles

Antoine Vargas
Directeur d'école

Daniel Peynichou
*Professeur des Écoles
Maître Formateur*

Prénom : ....

Nom : ....

Année : ....

Bonjour !
Je suis Oscar, ton ami et ton guide dans ce cahier. N'oublie pas de compléter l'étiquette avec ton nom.

hachette ÉDUCATION

Présentation

Un cahier entièrement conçu et rédigé par une équipe d'enseignants expérimentés.

Ce cahier a été spécialement conçu pour accompagner l'enfant tout au long de l'année. Il lui permettra de revoir les leçons étudiées en classe à son rythme et de bien s'entraîner grâce à des exercices très progressifs.

Chaque leçon, axée sur une notion du programme, présente tous les contenus nécessaires pour que l'enfant maîtrise cette notion :

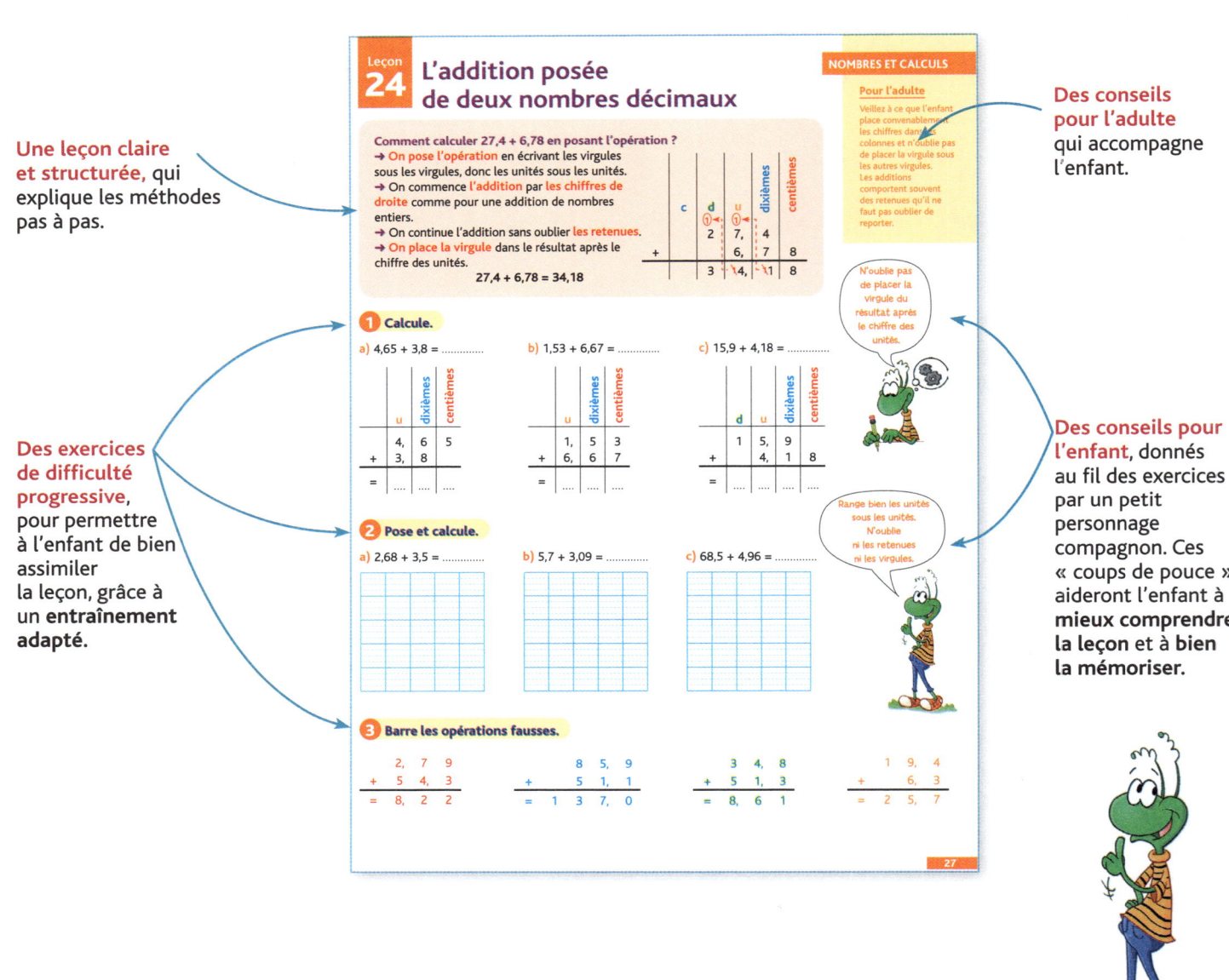

- **Une leçon claire et structurée**, qui explique les méthodes pas à pas.
- **Des exercices de difficulté progressive**, pour permettre à l'enfant de bien assimiler la leçon, grâce à un **entraînement adapté**.
- **Des conseils pour l'adulte** qui accompagne l'enfant.
- **Des conseils pour l'enfant**, donnés au fil des exercices par un petit personnage compagnon. Ces « coups de pouce » aideront l'enfant à **mieux comprendre la leçon** et à **bien la mémoriser**.

Achevé d'imprimer en Italie en avril 2019 par «La Tipografica Varese Srl» – Dépôt légal : avril 2019 – Édition 01 – 13/0399/1

ISBN : 978-2-01-708200-2
© Hachette Livre 2019, 58, rue Jean Bleuzen CS70007
92178 Vanves CEDEX
Tous droits de traduction, de reproduction et d'adaptation réservés pour tous pays.
www.hachette-education.com

Illustration de couverture : Lili la baleine
Dessin de la mascotte : Pauline Casters
Autres illustrations intérieures : Dominique Fages
Crédits photographiques p. 61 : le centre Pompidou © shutterstock/Kiev.Victor ; le procès de Jeanne d'Arc et le sacre de Napoléon © Photothèque Hachette
Réalisation PAO de l'intérieur : Lasergraphie-Grafatom

Sommaire

Tous les corrigés à détacher au centre du cahier (pages 32 et 33)

NOMBRES ET CALCULS

1. Les nombres jusqu'au million 4
2. Les nombres jusqu'au milliard 5
3. Calcul en ligne : somme de deux nombres 6
4. Calcul en ligne : la soustraction et l'addition à trou 7
5. La soustraction posée 8
6. Problèmes avec additions ou soustractions 9
7. Multiplier par 10, 100, 1 000 10
8. Les critères de divisibilité par 2, 5 et 10 11
9. La multiplication posée : multiplier par un nombre à un chiffre 12
10. La multiplication posée : multiplier par un nombre à deux chiffres 13
11. Problèmes avec multiplications 14
12. Valeur approchée d'un résultat 15
13. Demi, tiers, quart 16
14. Les fractions simples (1) 17
15. Les fractions simples (2) 18
16. Lire et écrire une fraction décimale 19
17. Décomposer une fraction décimale et extraire sa partie entière 20
18. Passer d'une écriture fractionnaire à une écriture à virgule et réciproquement 21
19. Comparer, ranger, encadrer des nombres décimaux 22
20. Ajouter des nombres décimaux simples 23
21. Calculer la moitié d'un nombre impair 24
22. Décimaux et mesures 25
23. Calculatrice et décimaux 26
24. L'addition posée de deux nombres décimaux 27
25. La soustraction posée de deux nombres décimaux 28
26. Valeurs approchées et nombres décimaux 29
27. Situations de division : calculer un nombre de parts 30
28. Situations de division : calculer la valeur d'une part 31
29. La division posée : diviser par un nombre d'un chiffre, quotient entier 32
30. Problèmes : rechercher des données 33
31. Problèmes : choisir les étapes de résolution 34
32. Interpréter et compléter un graphique en bâtons 35
33. Graphique, coordonnées d'un point 36
34. Approche de la proportionnalité 37

ESPACE ET GÉOMÉTRIE

35. Droites perpendiculaires 38
36. Droites parallèles 39
37. Polygones 40
38. Les triangles 41
39. Propriétés des quadrilatères 42
40. Construire un carré, un rectangle, un losange 43
41. Le cercle 44
42. Programmes de construction 45
43. Reproduire une figure 46
44. Identifier un axe de symétrie 47
45. Compléter ou tracer une figure par symétrie 48
46. Cube, parallélépipède rectangle 49
47. Solides et patrons 50
48. Décrire et exécuter des déplacements 51
49. Programmer un robot 52

GRANDEURS ET MESURES

50. Mesure de longueurs 53
51. Calculer un périmètre 54
52. Les mesures : longueurs, masses et contenances 55
53. Fractions et mesure 56
54. Comparer et tracer des angles 57
55. Comparer et mesurer des aires 58
56. Lire l'heure 59
57. Unités de durées (1) : heure, minute, seconde 60
58. Unités de durées (2) : jour, semaine, mois, siècle 61
59. Calculer une durée ou déterminer un instant (1) 62
60. Calculer une durée ou déterminer un instant (2) 63

Leçon 1 — Les nombres jusqu'au million

NOMBRES ET CALCULS

Pour l'adulte
Au CE2, l'enfant a déjà travaillé sur les nombres jusqu'à 10 000. Dans cette leçon, il va devoir manipuler les nombres jusqu'au million : les lire, les écrire, les comparer et les ranger.

→ **Lire et écrire des nombres**
123 458 se lit *cent-vingt-trois-mille-quatre-cent-cinquante-huit*.
123 458 = 100 000 + 20 000 + 3 000 + 400 + 50 + 8
123 458 = (1 × 100 000) + (2 × 10 000) + (3 × 1 000) + (4 × 100) + (5 × 10) + 8

→ **Comparer des nombres**
Lorsqu'on **compare** deux nombres, le nombre **le plus grand** est celui qui possède **le plus de chiffres**.
Si les deux nombres ont le même nombre de chiffres, on compare les chiffres à partir de la gauche.
523 236 < 732 251, car 5 < 7   949 829 < 963 121, car 4 < 6

Pense à laisser un espace entre la classe des mille et celle des unités simples.
56329 → 56 329
125633 → 125 633

1. Écris ces nombres en chiffres.

a) Deux-cent-vingt-six-mille-quatre-cent-vingt : ....

b) Quatre-vingt-seize-mille-trois-cent-quarante-cinq : ....

2. Écris ces nombres en toutes lettres.

a) 170 036 : ....

b) 193 100 : ....

3. Entoure :
– en **violet** le chiffre des centaines de mille ;
– en **rouge** le chiffre des unités de mille ;
– en **bleu** le chiffre des centaines ;
– en **orange** le chiffre des unités.

a) 1 2 3   9 8 6
b) 3 4 1   0 9 3
c) 1 5 0   1 9 0

Retiens bien ce tableau !

Classe des mille			Classe des unités simples		
c	d	u	c	d	u
centaines de mille	dizaines de mille	unités de mille	centaines	dizaines	unités

4. Complète en t'aidant de l'exemple en bleu.

345 607	(3 × 100 000) + (4 × 10 000) + (5 × 1 000) + (6 × 100) + 7
207 890	....
....	(5 × 100 000) + (6 × 1 000) + (4 × 100) + (5 × 10) + 8

5. Range par ordre croissant les diamètres de ces cinq planètes.

Nom de la planète	Vénus	Terre	Jupiter	Saturne	Uranus
Diamètre en kilomètres	12 100	12 700	142 900	120 500	51 200

.... < .... < .... < .... < ....

Leçon 2 — Les nombres jusqu'au milliard

NOMBRES ET CALCULS

Pour l'adulte
L'enfant apprend une nouvelle classe de nombres : les millions. Montrez-lui que la régularité des groupements (classe des mille, classe des millions) lui permet d'aborder les grands nombres dès lors qu'il maîtrise les nombres jusqu'à 999.

➜ **Lire et écrire les nombres**
- 1 000 000 se lit *un-million*.
- La population de la France est de 67 200 000 habitants en 2018.

Classe des millions			Classe des mille			Classe des unités		
c	d	u	c	d	u	c	d	u
	6	7	2	0	0	0	0	0

Ce nombre se lit : 67 millions 200 mille.
Ce nombre s'écrit : soixante-sept-millions-deux-cent-mille.

➜ **Différencier chiffres et nombres**
Dans 67 200 000 :
7 est **le chiffre** des unités de millions ; 67 est **le nombre** de millions.

➜ **Comparer deux nombres**
- Le nombre le plus grand est celui qui possède **le plus de chiffres**.
- Si les deux nombres ont le même nombre de chiffres, on **compare** les chiffres à partir de la gauche.

« Million » prend un « s » au pluriel : 7 millions.
« Mille » est invariable : 7 mille.

1 Complète selon l'exemple en bleu.

936 507 470	936 millions 507 mille 470
406 380 200	....
25 069 784	....
4 050 000	....

2 Écris ces nombres en chiffres.

a) Six-cent-dix-huit-millions-trente-deux-mille-soixante-deux : ....
b) Trente-huit-millions-quatre-mille-six-cent-vingt : ....
c) Neuf-millions-deux-mille : ....

3 Entoure en bleu le chiffre des unités de millions et en vert le nombre de millions.

a) 356 567 000   b) 10 700 000   c) 85 287 122   d) 999 700 000

4 Observe cette carte qui donne le nombre d'habitants de quatre pays européens puis range ces populations par ordre décroissant.

Allemagne : 82 850 000
Autriche : 8 772 000
France : 67 200 000
Suisse : 8 419 000

Ranger des nombres dans l'ordre décroissant, c'est les ranger du plus grand au plus petit.

Leçon 3 — Calcul en ligne : somme de deux nombres

NOMBRES ET CALCULS

Pour l'adulte
Cette leçon de calcul réfléchi doit permettre à l'enfant de mettre en place des stratégies de calcul afin d'éviter le surcomptage coûteux en temps et source d'erreurs.

Comment calculer 35 + 28 ?
Il y a deux méthodes possibles.

- **Première méthode :**
On décompose un seul terme de la somme en dizaines et unités.
35 + 28 = 35 + 20 + 8
35 + 28 = 55 + 8
35 + 28 = 63

- **Seconde méthode :**
On décompose les deux termes en dizaines et unités.
35 + 28 = 30 + 20 + 5 + 8
35 + 28 = 50 + 13
35 + 28 = 63

1 Calcule en appliquant la première méthode.

a) 37 + 24 = 37 + 20 + ...
   37 + 24 = ... + ...
   37 + 24 = ...

b) 56 + 35 = 56 + 30 + ...
   56 + 35 = ... + ...
   56 + 35 = ...

2 Calcule en appliquant la seconde méthode.

a) 52 + 28 = 50 + 20 + ... + ...
   52 + 28 = ... + ...
   52 + 28 = ...

b) 65 + 36 = 60 + 30 + ... + ...
   65 + 36 = ... + ...
   65 + 36 = ...

3 Calcule en appliquant la seconde méthode.

a) 36 + 27 = ...
   36 + 27 = ...
   36 + 27 = ...

b) 48 + 34 = ...
   48 + 34 = ...
   48 + 34 = ...

4 Combien Julia a-t-elle dépensé ?

Pour son cours de danse, Julia a acheté un tutu et des chaussons.

....
....
....

34 €

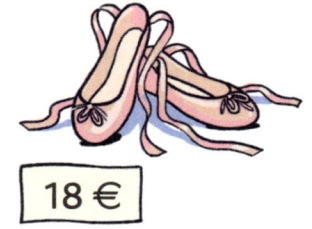
18 €

Leçon 4 : Calcul en ligne : la soustraction et l'addition à trou

NOMBRES ET CALCULS

Pour l'adulte

Remplacer une soustraction par une addition à trou est la méthode qu'utilise un commerçant lorsqu'il rend la monnaie. Cette leçon va permettre à l'enfant de calculer une soustraction sans avoir besoin de la poser.

Comment calculer 132 − 85 ?

Calculer 132 − 85 revient à chercher combien il faut ajouter à 85 pour atteindre 132. Cette **soustraction** peut être transformée en une **addition à trou** : 85 + ... = 132.
On peut utiliser la droite graduée pour la résoudre.

Pour résoudre l'addition à trou, j'utilise la droite graduée et je vais de 85 à 132 en passant par 100 en deux sauts.

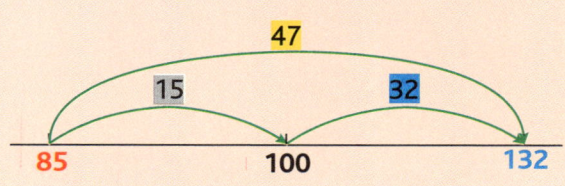

De **85** à **100**, il y a **15**.
De **100** à **132**, il y a **32**.
De **85** à **132**, il y a **15** + **32** = **47**.
85 + **47** = **132**
Donc **132** − **85** = **47**.

1 Calcule.

a) 124 − 92

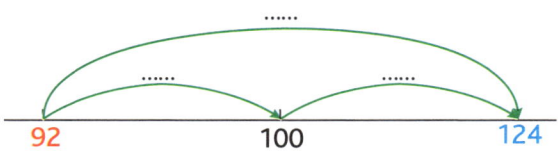

124 − 92 = ...

b) 159 − 83

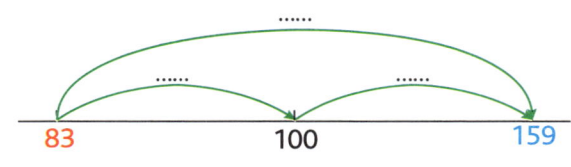

159 − 83 = ...

2 Calcule.

a) 153 − 89

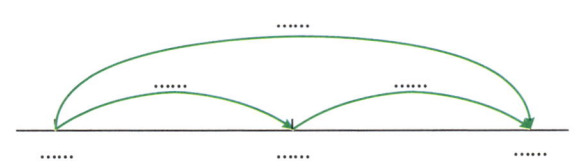

153 − 89 = ...

b) 171 − 95

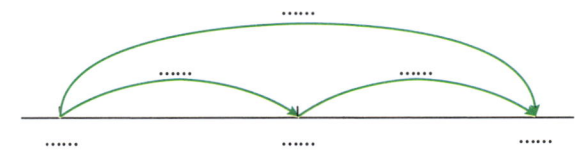

171 − 95 = ...

3 Nils achète une guitare à 123 €. Il donne un bon d'achat de 84 €. Combien lui reste-t-il encore à payer ?

Il lui reste .... € à payer.

4 Combien de pages Théo doit-il encore lire ?

Je dois lire ce livre jusqu'à la page 157. Je viens de finir la page 78.

Théo doit encore lire .... pages.

Leçon 5 — La soustraction posée

Comment calculer 609 − 342 en posant l'opération ?

➜ **On commence par les unités.**
9 − 2 = 7.   On écrit 7 dans la colonne des **unités**.

➜ **On continue avec les dizaines.**
0 − 4 : **c'est impossible !**
Donc on ajoute 10 dizaines (**10**) à la colonne des dizaines
et on calcule 10 − 4 = 6.   On écrit 6 dans la colonne des **dizaines**.

➜ **On termine avec les centaines.**
On rend la retenue (+1) en bas dans la colonne des centaines : 3 + ①= 4.
On calcule donc 6 − 4 = 2.   On écrit 2 dans la colonne des **centaines**.

```
      c    d    u
      6   10    9
  −   3(+1) 4   2
      2    6    7
```

NOMBRES ET CALCULS

Pour l'adulte

En CE2, l'enfant a appris la technique de la soustraction posée avec retenue. En CM1, il doit continuer à utiliser cette technique avec des nombres plus grands.

1 Calcule.

```
    4  3  9        8  0  5        1  8  0  8
 −  3  5  2     −     5  2     −  1  6  5  9
   .........       .........        ...........
```

N'oublie pas de rendre les retenues lorsqu'il y en a.

2 Pose et calcule.

190 − 157 = ...   303 − 255 = ...   1 080 − 309 = ...

Pense à placer les unités sous les unités, les dizaines sous les dizaines…

3 Trouve le chiffre représenté par chaque fruit.

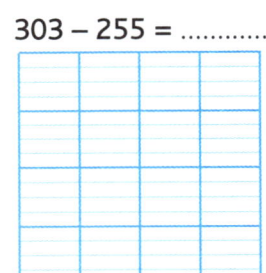 = ...
 = ...

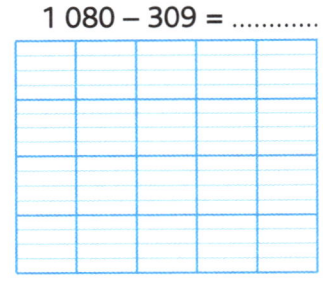

Tu peux vérifier le résultat d'une soustraction :
```
    2 2 0 9
  − 1 3 5 2
  = 0 8 5 7
```
… en effectuant une addition :
```
    1 3 5 2
  +   8 5 7
  = 2 2 0 9
```

Leçon 6 — Problèmes avec additions ou soustractions

NOMBRES ET CALCULS

Pour l'adulte
Demandez à l'enfant de reformuler l'énoncé et la question du problème avec ses propres mots, afin de vous assurer qu'il a bien compris la situation. Demandez-lui ensuite de justifier le choix de l'opération qu'il souhaite utiliser : addition ou soustraction.

➜ **Résoudre un problème avec une addition**
Noëmie a acheté un téléphone à 89 € et un vélo à 165 €.
Combien a-t-elle dépensé ?
Pour le savoir, on doit effectuer une **addition**.
Noëmie a dépensé : 165 € + 89 € = 254 €.

➜ **Résoudre un problème avec une soustraction**
Avant de faire ces achats, Noëmie avait 320 €. **Combien lui reste-t-il ?**
Pour calculer ce qu'il reste à Noëmie, on doit effectuer une **soustraction**.
Il reste à Noëmie : 320 € − 254 € = 66 €.

1 **Adrien possède 100 €.**

a) Il achète une paire de rollers à 60 €. Combien lui reste-t-il ?
....

b) Il achète ensuite un ballon à 30 €. Combien lui reste-t-il ?
....

Calcule mentalement toutes les opérations.

2 **Rémi arrive à l'école avec 38 billes.**

a) Il gagne 23 billes le matin. Combien de billes a-t-il à midi ?
....

b) Il perd 9 billes l'après-midi. Combien de billes a-t-il le soir ?
....

3 **Yannis achète un gâteau. Il paie avec un billet de 20 €.**

a) Le pâtissier lui rend 4 €. Combien coûte le gâteau ?
....

b) Il achète ensuite un pain. Il lui reste alors 2 € 50 c. Quel est le prix du pain ?
....

4 **Regarde l'exemple sur fond bleu. Trouve la règle du jeu et complète.**

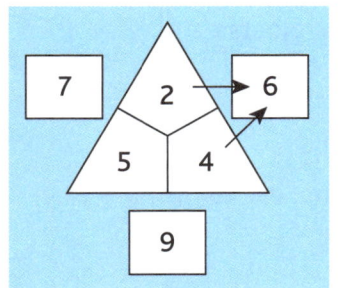
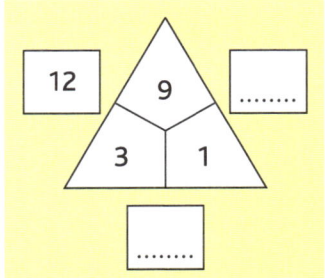
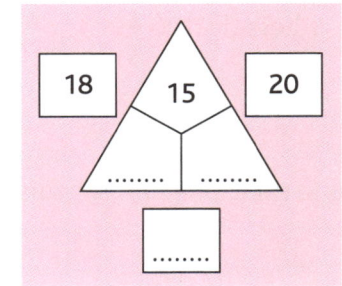
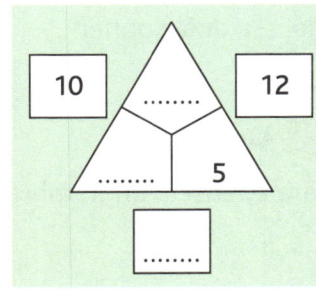

Leçon 7 : Multiplier par 10, 100, 1 000

NOMBRES ET CALCULS

Pour l'adulte

Attention ! Évitez que l'enfant n'emploie la formulation incorrecte : « pour multiplier un nombre par 10, il suffit d'ajouter un zéro », car « ajouter zéro » en mathématiques, ne modifie pas la valeur d'un nombre. Il vaut mieux dire : « On écrit un zéro à la droite du nombre. »

Comment multiplier par 10, 100, 1 000 ?
Pour multiplier un nombre par 10, par 100 ou par 1 000, on écrit un, deux ou trois zéros à droite de ce nombre.
45 × 10 = 450   45 × 100 = 4 500   45 × 1 000 = 45 000

➜ 40 × ... = 4 000   Je dois écrire 100, car 40 × 100 = 4 000.
➜ ... × 100 = 34 000   Je dois écrire 340, car 340 × 100 = 34 000.

1 Calcule.

a) 42 × 10 = ...
b) 56 × 100 = ...
c) 30 × 1 000 = ...
d) 147 × 10 = ...
e) 250 × 100 = ...
f) 280 × 1 000 = ...

2 Complète.

a) 34 × .... = 34 000
b) 102 × .... = 10 200
c) 2 040 × .... = 204 000
d) 53 × .... = 530
e) 50 × .... = 5 000
f) 1 002 × .... = 10 020

3 Complète.

a) .... × 100 = 3 200
b) 10 × .... = 2 500
c) .... × 1 000 = 500 000
d) 100 × .... = 49 000
e) .... × 10 = 10 000
f) 1 000 × .... = 200 000

N'oublie pas que 230 × 10 = 2 300, c'est pareil que 10 × 230 = 2 300.

4 Problème.

Je veux payer 1 200 € avec des billets de 100 €. Combien dois-je en donner ?

Et si je paie 1 200 € avec des billets de 10 €, combien dois-je en donner ?

.... × 100 € = 1 200 €.
Mélissa doit donner .... billets de 100 €.

.... × 10 € = 1 200 €.
Mélissa doit donner .... billets de 10 €.

5 Devinette.

Sarah pense à un nombre. Elle le multiplie par 10, puis par 100. Elle obtient 30 000. Quel est ce nombre ?

....

Leçon 8 — Les critères de divisibilité par 2, 5 et 10

NOMBRES ET CALCULS

Pour l'adulte

Au CM1, l'enfant doit connaître les critères de divisibilité par 2, 5 et 10. Assurez-vous qu'il connaît les tables de multiplication par 2, 5 et 10.

$14 = 7 \times 2$ → 14 est un multiple de 2 ;
$14 : 2 = 7$ → 14 est divisible par 2.

$40 = 8 \times 5$ → 40 est un multiple de 5 ;
$40 : 5 = 8$ → 40 est divisible par 5.

$50 = 5 \times 10$ → 50 est un multiple de 10 ;
$50 : 10 = 5$ → 50 est divisible par 10.

Les résultats de la table de multiplication par 2 sont divisibles par 2. Ceux de la table de 5 sont divisibles par 5. Ceux de la table de 10 sont divisibles par 10.

Les nombres **pairs** se terminent par **0, 2, 4, 6, 8** : ils sont divisibles par **2**.
Les nombres qui se terminent par **0** ou **5** sont divisibles par **5**.
Les nombres qui se terminent par **0** sont divisibles par **10**, par **2** et par **5**.

1 Entoure les nombres qui sont divisibles par 2.

15   18   20   31   46   72   87   104   578   600

2 Entoure les nombres qui sont divisibles par 5.

15   20   25   30   36   90   110   200   271   855

3 Entoure les nombres qui sont divisibles par 10.

50   90   100   230   405   500   502   895   900   1 000

4 Complète le dernier chiffre de chaque nombre.

a) Je suis divisible par 5 et par 2.
23......

b) Je suis divisible par 5 mais je ne me termine pas par 0.
23......

c) Je suis divisible par 10.
23......

5 Entoure les nombres qui sont divisibles par 2 et par 5, puis complète la phrase.

46   60   100   134   465   570   770   882   900   1 000

Les nombres entourés sont aussi divisibles par ....

6 Écris les nombres pairs compris entre 997 et 1 009.

....

Leçon 9 — La multiplication posée : multiplier par un nombre à un chiffre

NOMBRES ET CALCULS

Pour l'adulte
L'enfant a déjà appris à multiplier un nombre par un nombre à un chiffre en CE2. Cette leçon lui permet de revoir la technique opératoire de la multiplication.

Comment calculer 358 × 3 en posant l'opération ?

➜ On commence par les unités :
3 × 8 = 24, **on écrit 4** et on retient ② (dizaines).

➜ On continue avec les dizaines :
3 × 5 = 15.
On ajoute la retenue ② : 15 + 2 = 17.
On écrit 7 et on retient ① (centaine).

➜ On finit avec les centaines : 3 × 3 = 9.
On ajoute la retenue ① : 9 + 1 = 10. **On écrit 10.**

➜ **Donc 358 × 3 = 1 074.**

	c	d	u
	3	5	8
×			3
	1	0	7	4

N'oublie pas de barrer la retenue quand tu l'as utilisée.

1. Effectue.

153 × 5 = ...

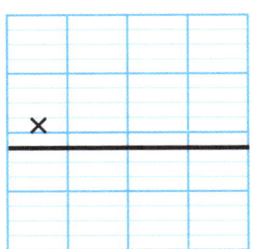

908 × 7 = ...

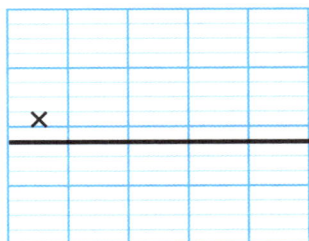

1 048 × 8 = ...

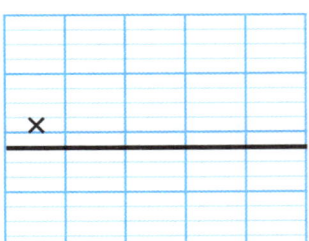

2. Pose et effectue.

216 × 3 = ...

390 × 8 = ...

1 009 × 9 = ...

3. Révise les tables de multiplication.

Colorie :
– en **bleu** les nombres de la table de **3** ;
– en **vert** les nombres de la table de **4**,
– en **rouge** les nombres de la table de **5** ;
– en **jaune** les nombres de la table de **7**.

Leçon 10 — La multiplication posée : multiplier par un nombre à deux chiffres

NOMBRES ET CALCULS

Pour l'adulte
L'enfant a déjà appris à multiplier un nombre par un nombre à deux chiffres en CE2. La difficulté est de faire comprendre à l'enfant l'écriture du zéro à la deuxième ligne. Dans l'exemple, lorsqu'on multiplie par 2 (dizaines), on multiplie en réalité par 20.

Comment calculer 358 × 23 en posant l'opération ?

→ On multiplie 358 par 3.
358 × 3 = 1 074. (Voir leçon 9.)

→ On multiplie ensuite 358 par 2 dizaines (20).
On met un **0** dans la colonne des unités, puis on multiplie par 2 :
358 × 2 = 716.
358 × 20 = 7 160.

→ Enfin, on additionne :
1 074 + 7 160 = 8 234.

	c	d	u
	3	5	8
×		2	3
	1	0	7	4
+	7	1	6	0
	8	2	3	4

1. Effectue.

763 × 12 = ...

2 361 × 25 = ...

1 579 × 34 = ...

2. Pose et calcule.

306 × 26 = ...

259 × 45 = ...

1 608 × 54 = ...

Pense aux retenues de la multiplication et aux retenues de l'addition.

3. Trouve la valeur de chaque fruit.

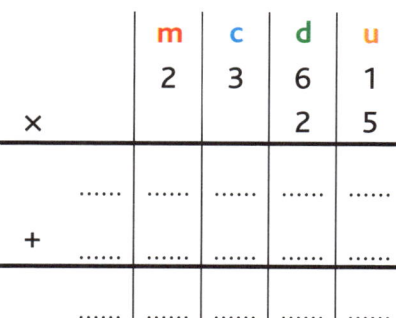

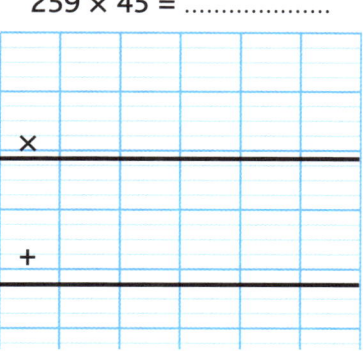

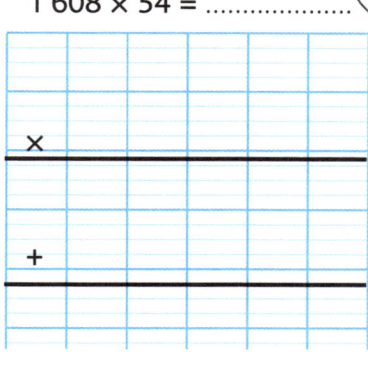

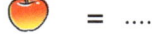

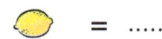

Leçon 11 — Problèmes avec multiplications

NOMBRES ET CALCULS

Pour l'adulte

L'enfant doit reconnaître les problèmes dont la résolution fait appel à la multiplication. Vous devez lui faire comprendre que la multiplication peut remplacer une addition répétée :
6 + 6 + 6 + 6 + 6 = 5 × 6 = 30.

➜ **Problème 1 :** Pour calculer le nombre de pâtes de fruits contenues dans la boîte, on effectue une **multiplication**, car chaque colonne contient **le même nombre** de pâtes de fruits :
5 × 6 = 30. Il y a 30 pâtes de fruits.

➜ **Problème 2 :** Chaque boîte contient 6 œufs. Pour calculer le nombre total d'œufs dans ces 8 boîtes, on effectue une **multiplication**, car toutes les boîtes contiennent **le même nombre** d'œufs :
8 × 6 = 48. Il y a en tout 48 œufs.

➜ **Problème 3 :** Les sacs contiennent des nombres de billes **différents**. Pour calculer le nombre total de billes, on effectue une **addition** :
35 + 25 + 15 = 75. Il y a en tout 75 billes.

Effectue les calculs sur les carnets.

1 Le classeur de la collection de timbres de Leïla comporte 8 pages. Sur chaque page, on peut placer 30 timbres.

Combien de timbres peut-elle ranger ?
……………………………………… = …………….

Leïla peut ranger ……………… timbres.

2 Morgane a rangé 30 images dans une boîte et 8 images dans une autre boîte.

Combien d'images a-t-elle rangées en tout ?
……………………………………… = …………….

Morgane a rangé ……………… images.

3 Le maraîcher a planté 10 rangées de 24 salades.

a) Combien de salades le maraîcher a-t-il plantées ?
……………………………………… = …………….

Le maraîcher a planté ……………… salades.

b) Son petit-fils a planté 10 salades et sa petite-fille 24. Combien de salades les enfants ont-ils plantées ?
……………………………………… = …………….

Les enfants ont planté ……………… salades.

Leçon 12 — Valeur approchée d'un résultat

NOMBRES ET CALCULS

Pour l'adulte
Pour trouver une valeur approchée du résultat d'un calcul, on utilise les arrondis des nombres à la dizaine, à la centaine... la plus proche.

➜ **Trouver la valeur approchée d'un nombre**
Pour trouver la **valeur approchée** d'un nombre, on fait un schéma :

- À la dizaine la plus proche :
  38 ➜ 40
- À la centaine la plus proche :
  738 ➜ 700
- Au millier le plus proche :
  2 738 ➜ 3 000

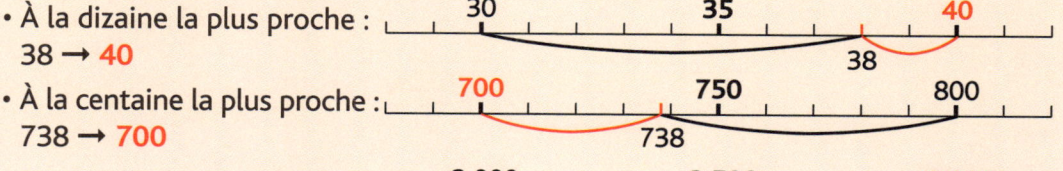

➜ **Trouver la valeur approchée d'un résultat**
On utilise des valeurs approchées de nombres pour trouver une **valeur approchée** du résultat d'un calcul.
28 + 53 est proche de 30 + 50 donc de 80.
28 × 53 est proche de 30 × 50 donc de 1 500.

1 Entoure la valeur approchée du prix de ces articles, à la dizaine d'euros la plus proche.

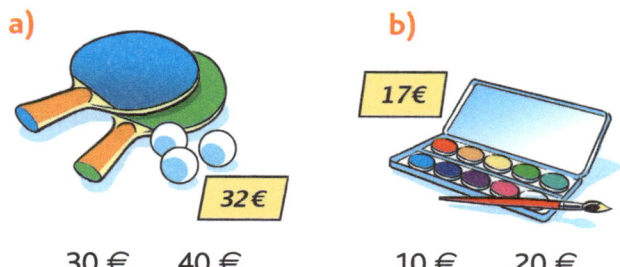

a) 30 €   40 €

b) 10 €   20 €

2 Entoure la valeur approchée du prix de ces articles, à la centaine d'euros la plus proche.

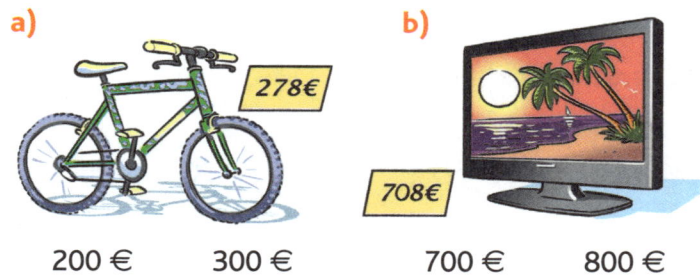

a) 200 €   300 €

b) 700 €   800 €

3 Écris la valeur approchée des nombres suivants à la dizaine la plus proche.

a) 41 ➜ ....   c) 57 ➜ ....   e) 39 ➜ ....

b) 26 ➜ ....   d) 48 ➜ ....   f) 52 ➜ ....

4 Complète, suivant l'exemple en bleu, sans poser l'opération. Le résultat exact de l'opération se trouve dans la dernière colonne. Entoure-le.

Opération	Calcul approché	Résultat		
279 + 524	300 + 500 = 800	(803)	603	1 003
1 036 + 2 867	....	1 903	5 803	3 903
302 − 197	....	499	105	5
38 × 23	....	274	874	1 374

Leçon 13 — Demi, tiers, quart

NOMBRES ET CALCULS

Pour l'adulte
L'enfant doit apprendre à utiliser les mots : demi, tiers, quart. Les expressions du langage courant comme demi-heure, quart d'heure... devraient l'aider à leur donner du sens.

→ Quelle est la moitié (ou le demi) de 12 ?
6 est la **moitié** ou le **demi** de 12,
car 6 + 6 = 6 × 2 = 12.

→ Quel est le quart de 12 ?
3 est le **quart** de 12,
car 3 + 3 + 3 + 3 = 3 × 4 = 12.

→ Quel est le tiers de 12 ?
4 est le **tiers** de 12,
car 4 + 4 + 4 = 4 × 3 = 12.

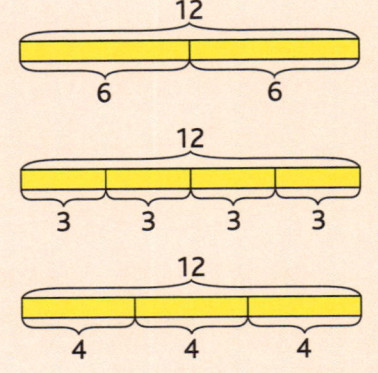

1 Complète le schéma, puis les phrases.

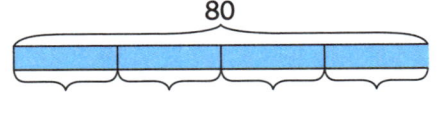
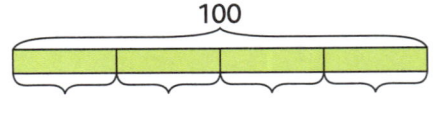
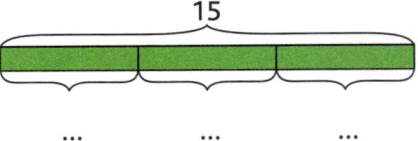

La moitié de 80, c'est ....
Le quart de 80, c'est ....

La moitié de 100, c'est ....
Le quart de 100, c'est ....

Le tiers de 15, c'est ....
Les deux tiers de 15, c'est ....

2 Complète le tableau.

Nombre	24	32	80	200	1 000
Moitié ou demi					
Quart					

N'oublie pas qu'un quart, c'est la moitié de la moitié !

3 La durée d'un match de hockey sur glace est de 60 minutes. Elle est découpée en trois tiers-temps.
Combien de minutes dure un tiers-temps ?
....
Un tiers-temps dure .... minutes.

4 Voici les numéros déjà sortis. Entoure-les sur le carton. As-tu une ligne complète ?

 Tiers de 30
 Demi de 50
 Tiers de 45
 Quart de 44

8		12	18
10	11		25
	15	16	30

J'ai une ligne complète :
☐ Oui   ☐ Non

Leçon 14 — Les fractions simples (1)

NOMBRES ET CALCULS

Pour l'adulte
L'enfant aborde pour la première fois la notion de fraction. Vous pouvez l'aider en lui proposant de plier une bande de papier en parts égales, en partageant des pizzas, des tablettes de chocolat...

➜ Partager l'unité

• Si on partage l'unité en **2 parties égales**, on obtient des **demis**.
Chaque partie est représentée par la fraction $\frac{1}{2}$ (**un demi**).

• Si on partage l'unité en **3 parties égales**, on obtient des **tiers**. Chaque partie correspond à la fraction $\frac{1}{3}$ (**un tiers**). La partie coloriée en orange est égale à $\frac{2}{3}$ (**deux tiers**).

• Si on partage l'unité en **4 parties égales**, on obtient **des quarts**. Chaque partie correspond à $\frac{1}{4}$ (**un quart**).

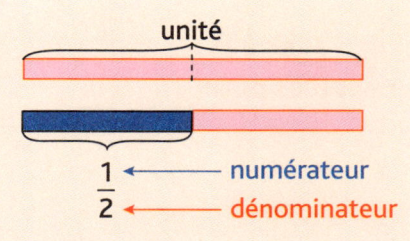
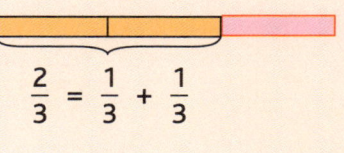
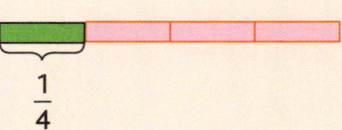

➜ Écrire une fraction

Le **numérateur** est le nombre du haut : il indique le nombre de parts que l'on prend.
Le **dénominateur** est le nombre du bas : il indique le nombre total de parts dans l'unité.

1 Complète.

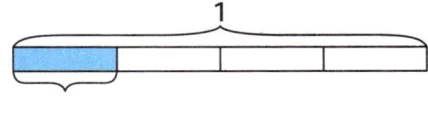 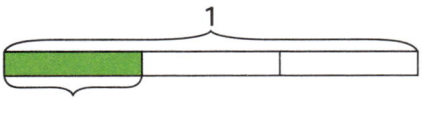 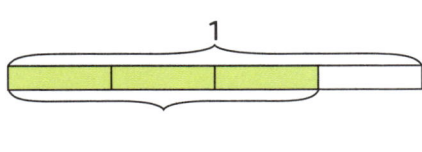

……… ……… ………

……… ……… ………

2 Colorie la partie représentée par la fraction.

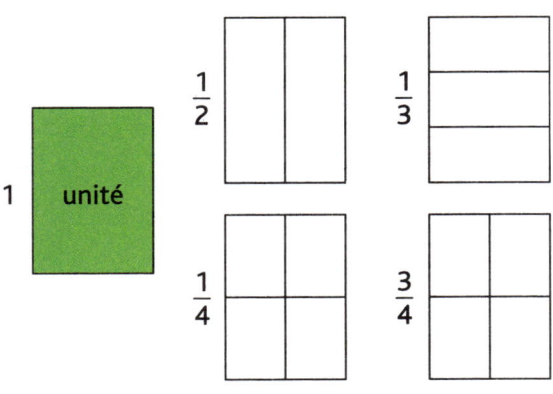

3 L'unité est le drapeau. Écris la fraction du drapeau coloriée en rouge.

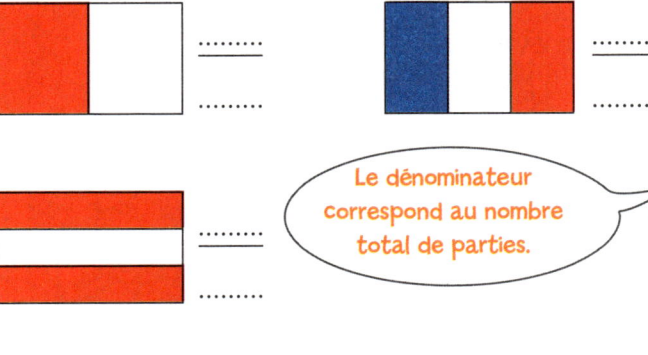

Le dénominateur correspond au nombre total de parties.

4 Entoure dans chaque cas le morceau correspondant à un quart de la pizza.

a)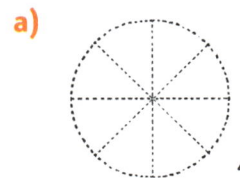

b)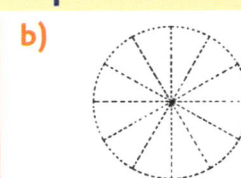

Leçon 15 — Les fractions simples (2)

NOMBRES ET CALCULS

Pour l'adulte
L'enfant apprend à décomposer une fraction en une somme d'un nombre entier et d'une fraction inférieure à 1. Vous pouvez l'aider en lui proposant le pliage de bandes de papier.

➜ **Comparer une fraction à l'unité**

• Lorsque le numérateur est plus petit que le dénominateur, la fraction est inférieure à 1.

• Lorsque le numérateur est égal au dénominateur, la fraction est égale à 1.

• Lorsque le numérateur est plus grand que le dénominateur, la fraction est supérieure à 1.

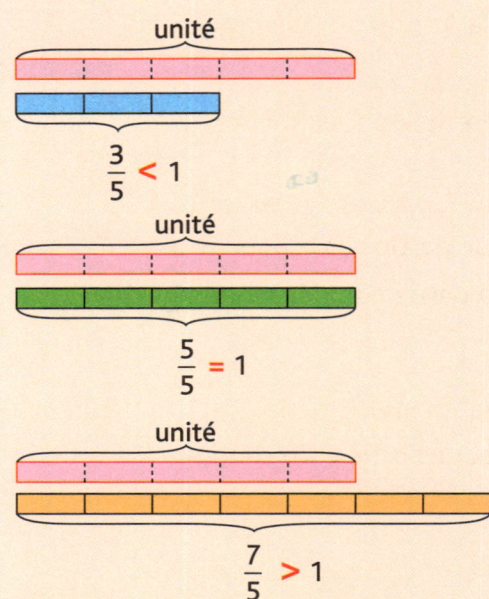

➜ **Extraire la partie entière**

$\frac{7}{5} = \frac{5}{5} + \frac{2}{5} = 1 + \frac{2}{5}$

De même : $\frac{13}{5} = \frac{5}{5} + \frac{5}{5} + \frac{3}{5} = 2 + \frac{3}{5}$

1 Complète.

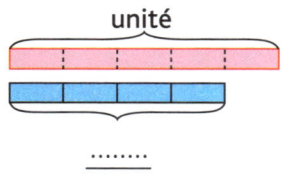 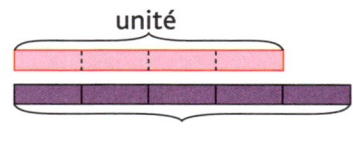 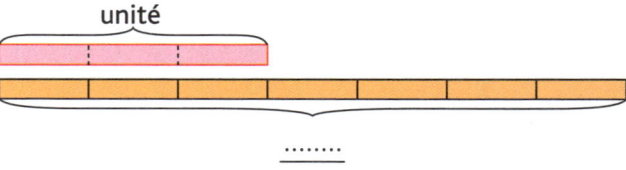

2 Complète avec un nombre entier.

$\frac{3}{3} = \ldots\ldots$ $\frac{8}{4} = \ldots\ldots$ $\frac{6}{3} = \ldots\ldots$

$\frac{10}{10} = \ldots\ldots$ $\frac{15}{5} = \ldots\ldots$ $\frac{12}{4} = \ldots\ldots$

3 Entoure les fractions supérieures à 1.

$\frac{3}{2}$ $\frac{3}{4}$ $\frac{4}{3}$ $\frac{1}{2}$ $\frac{7}{4}$

4 Complète en t'aidant des schémas.

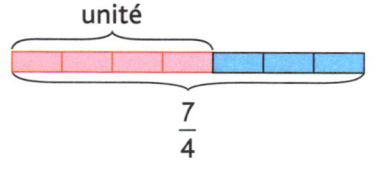 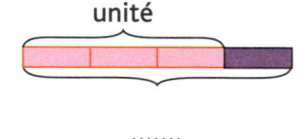 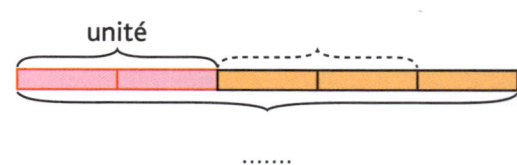

$\frac{7}{4} = \frac{4}{4} + \frac{3}{4} = \ldots + \frac{\ldots}{4}$

$\frac{4}{3} = \frac{\ldots}{\ldots} + \frac{\ldots}{\ldots} = \ldots + \frac{\ldots}{\ldots}$

$\frac{5}{2} = \frac{2}{2} + \frac{\ldots}{\ldots} + \frac{\ldots}{\ldots} = \ldots + \frac{\ldots}{\ldots}$

Leçon 16 — Lire et écrire une fraction décimale

NOMBRES ET CALCULS

Pour l'adulte

Les fractions décimales sont associées à des découpages de l'unité en 10, 100, ... parts égales.
Vous aiderez l'enfant en associant les fractions décimales au découpage de l'unité en 10 et en 100. L'utilisation du mètre ruban ou une règle graduée sont des outils commodes qui permettent de visualiser les dixièmes et les centièmes et leurs relations.

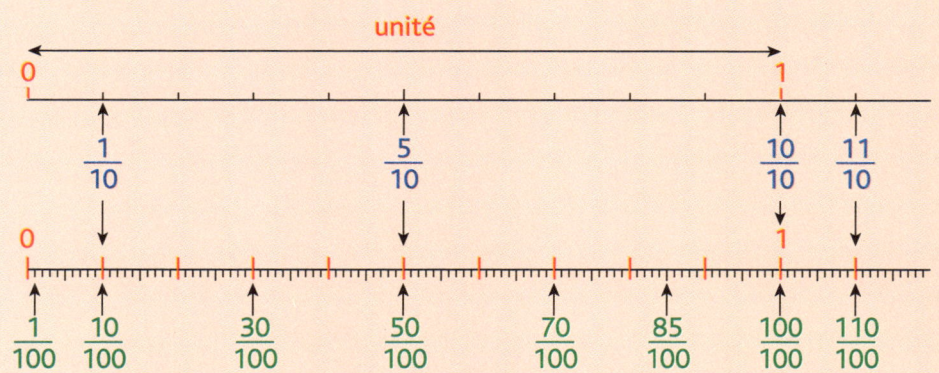

→ Les dixièmes

Sur la droite du haut, l'unité a été découpée en 10 parties égales.
Chaque part est un **dixième** d'unité et se note $\frac{1}{10}$.

Une unité contient 10 dixièmes : $\frac{10}{10} = 1$. $\frac{5}{10}$ se lit *5 dixièmes*.

→ Les centièmes

La droite du bas est graduée en centièmes.
L'unité est partagée en 100 parties égales. $\frac{100}{100} = 1$.

Chaque dixième est découpé en 10 centièmes : $\frac{1}{10} = \frac{10}{100}$.

$\frac{50}{100}$ se lit *50 centièmes*. On remarque que $\frac{5}{10} = \frac{50}{100}$.

1 Complète selon l'exemple en bleu.

$\frac{3}{10}$	trois-dixièmes
$\frac{5}{100}$	....
$\frac{12}{10}$	....
$\frac{......}{......}$	quinze-centièmes

2 Entoure les fractions décimales supérieures à 1.

$\frac{12}{10}$ $\frac{9}{10}$ $\frac{45}{100}$ $\frac{200}{100}$ $\frac{29}{10}$ $\frac{120}{100}$

3 Entoure les fractions décimales inférieures à 1.

$\frac{13}{10}$ $\frac{25}{100}$ $\frac{150}{10}$ $\frac{1}{10}$ $\frac{20}{10}$ $\frac{20}{100}$

4 Complète chaque fraction décimale selon sa position sur la droite graduée.

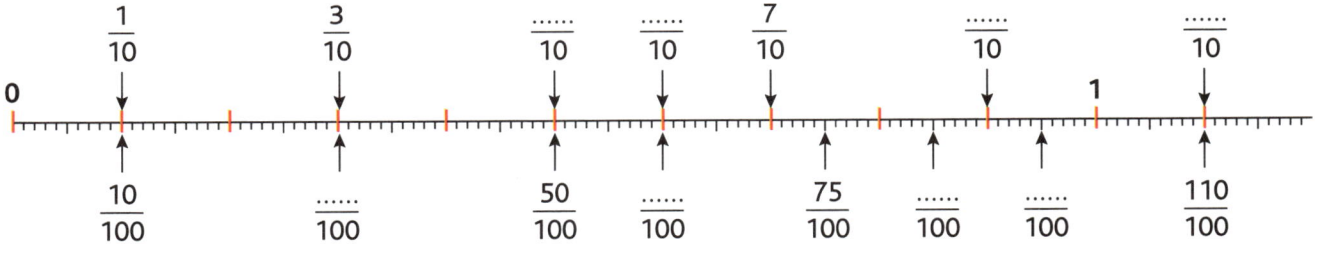

Leçon 17 — Décomposer une fraction décimale et extraire sa partie entière

NOMBRES ET CALCULS

Pour l'adulte

Les fractions décimales se décomposent en la somme d'un nombre entier et d'une fraction décimale inférieure à l'unité. Cette décomposition joue un rôle fondamental dans le passage à l'écriture à virgule.
Afin d'aider l'enfant dans ce travail délicat, insistez sur les équivalences entre $\frac{10}{10}$, $\frac{100}{100}$ et l'unité, ainsi que sur l'égalité : $\frac{10}{100} = \frac{1}{10}$.

→ **Placer une fraction décimale sur une droite graduée**
Cette droite est graduée en **dixièmes**.

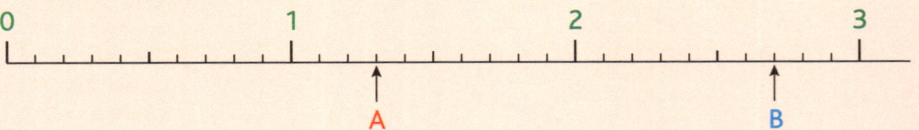

Le point **A** correspond à $\frac{13}{10}$ ou à $1 + \frac{3}{10}$.

Le point **B** correspond à $\frac{27}{10}$ ou à $2 + \frac{7}{10}$.

→ **Extraire la partie entière d'une fraction décimale**

$\frac{13}{10} = \frac{10}{10} + \frac{3}{10}$, comme $\frac{10}{10} = 1$, $\frac{13}{10} = 1 + \frac{3}{10}$.

$\frac{27}{10} = \frac{20}{10} + \frac{7}{10}$, comme $\frac{20}{10} = 2$, $\frac{27}{10} = 2 + \frac{7}{10}$.

1 Complète selon l'exemple, puis place chacune de ces fractions sur la droite graduée.

$\frac{17}{10} = \frac{10}{10} + \frac{7}{10} \rightarrow \frac{17}{10} = 1 + \frac{7}{10}$

$\frac{23}{10} = \frac{\ldots}{10} + \frac{\ldots}{10} \rightarrow \frac{23}{10} = \ldots + \frac{\ldots}{10}$; $\frac{31}{10} = \frac{\ldots}{10} + \frac{\ldots}{10} \rightarrow \frac{31}{10} = \ldots + \frac{\ldots}{10}$

Aide-toi de cette droite graduée en dixièmes.

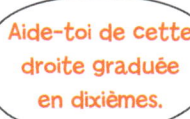

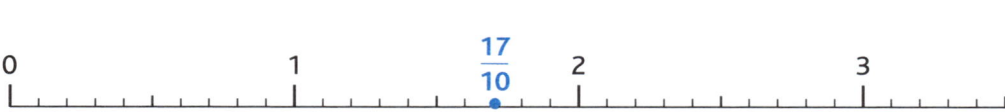

2 Complète les égalités ci-dessous.

a) $\frac{35}{10} = 3 + \ldots$ b) $\frac{28}{10} = 2 + \ldots$ c) $\frac{15}{10} = \ldots + \frac{5}{10}$ d) $\frac{42}{10} = \ldots + \frac{2}{10}$

3 Complète en t'aidant de l'exemple, puis place la fraction $\frac{84}{100}$ sur la droite graduée.

$\frac{47}{100} = \frac{40}{100} + \frac{7}{100} \rightarrow \frac{47}{100} = \frac{4}{10} + \frac{7}{100}$; $\frac{84}{100} = \frac{\ldots}{100} + \frac{\ldots}{100} \rightarrow \frac{84}{100} = \frac{\ldots}{10} + \frac{\ldots}{100}$

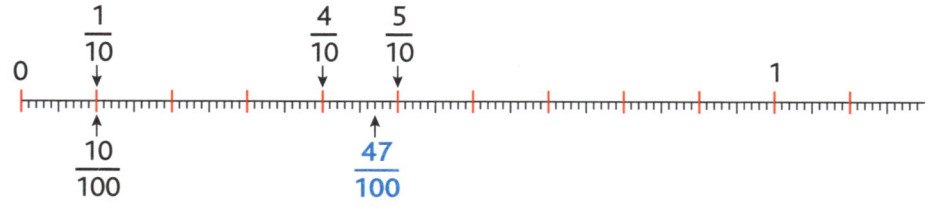

N'oublie pas que $\frac{10}{100} = \frac{1}{10}$ et $\frac{100}{100} = 1$.

4 Complète.

a) $\frac{215}{100} = 2 + \frac{\ldots}{100}$ b) $\frac{318}{100} = \ldots + \frac{\ldots}{100}$ c) $\frac{485}{100} = \ldots + \frac{\ldots}{100}$ d) $\frac{201}{100} = \ldots + \frac{\ldots}{100}$

Leçon 18 : Passer d'une écriture fractionnaire à une écriture à virgule et réciproquement

NOMBRES ET CALCULS

Pour l'adulte

L'écriture des nombres à virgule ressemble à celle des nombres entiers. L'enfant peut donc penser que les chiffres après la virgule désignent aussi des nombres entiers.
Pour l'aider, efforcez-vous de prononcer « 2 et 16 centièmes » plutôt que « 2 virgule 16 ».

→ **Qu'est-ce qu'un nombre à virgule ?**

0	0,2	0,35	0,5	0,8	1	1,08	1,2	1,28
	$\frac{2}{10}$	$\frac{35}{100}$	$\frac{5}{10}$	$\frac{8}{10}$		$\frac{10}{10}$ $\frac{108}{100}$	$\frac{12}{10}$	$\frac{128}{100}$

0,5 est l'écriture à virgule de la fraction $\frac{5}{10}$, c'est un **nombre décimal**.

$0,5 = \frac{5}{10}$ $\quad 1,2 = \frac{12}{10}$ $\quad 0,35 = \frac{35}{100}$ $\quad 1,28 = \frac{128}{100}$ $\quad 1,08 = \frac{108}{100}$

La **virgule** sépare la **partie entière** de la **partie décimale**.

→ **Lire un nombre à virgule**

$0,5 = \frac{5}{10}$ et se lit *5 dixièmes*.

$1,2 = \frac{12}{10} = 1 + \frac{2}{10}$ et se lit *1 et 2 dixièmes*.

$0,35 = \frac{35}{100}$ et se lit *35 centièmes*.

$1,28 = \frac{128}{100} = 1 + \frac{28}{100}$ et se lit *1 et 28 centièmes*.

$1,08 = \frac{108}{100} = 1 + \frac{8}{100}$ et se lit *1 et 8 centièmes*.

Partie entière			Partie décimale	
c	d	u	dixièmes	centièmes
		0,	5	
		1,	2	
		1,	2	8

---

1) Complète selon l'exemple en bleu.

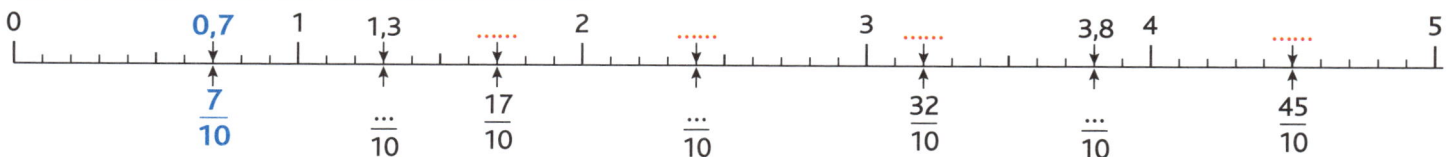

0 — 0,7 — 1 — 1,3 — ...... — 2 — ...... — 3 — ...... — 3,8 — 4 — ...... — 5

$\frac{7}{10}$ $\frac{...}{10}$ $\frac{17}{10}$ $\frac{...}{10}$ $\frac{32}{10}$ $\frac{...}{10}$ $\frac{45}{10}$

---

2) Transforme chaque fraction décimale en écriture à virgule en t'aidant de l'exemple en bleu.

$\frac{125}{100} = 1 + \frac{25}{100}$ → $\frac{125}{100} = 1 + 0,25$ → $\frac{125}{100} = 1,25$

a) $\frac{258}{100} = 2 + \frac{......}{100}$ → $\frac{258}{100} = 2 + ...,......$ → $\frac{258}{100} = 2,......$

b) $\frac{409}{100} = ... + \frac{9}{100}$ → $\frac{409}{100} = ... + ...,......$ → $\frac{409}{100} = ...,......$

---

3) Transforme chaque écriture à virgule en fraction décimale en t'aidant des exemples en bleu.

$0,7 = \frac{7}{10}$ $\quad 0,05 = \frac{5}{100}$

a) 0,6 = ... b) 0,4 = ... c) 3,4 = ...

d) 0,02 = ... e) 0,28 = ... f) 1,48 = ...

---

4) Colorie les ballons qui portent le même nombre.

 3,4 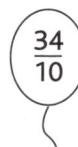 $\frac{34}{10}$  340  3,40

Leçon 19 — Comparer, ranger, encadrer des nombres décimaux

NOMBRES ET CALCULS

Pour l'adulte

Pour comparer des nombres décimaux, l'enfant doit savoir distinguer la partie entière de la partie décimale.

→ **Comparer des nombres décimaux**
On commence par comparer les **parties entières**.   2,64 < 3,1
Si les parties entières sont égales, on compare les **parties décimales** en commençant par les dixièmes : 2,64 < 2,7 car $\frac{6}{10} < \frac{7}{10}$.

Puis, si nécessaire, on compare les centièmes : 2,64 > 2,61 car $\frac{4}{100} > \frac{1}{100}$

On peut toujours intercaler un nombre décimal entre deux nombres décimaux.

→ **Encadrer des nombres décimaux**
- 2,64 est encadré entre les **nombres entiers** 2 et 3 car 2 < 2,64 < 3.
- 2,64 est encadré entre les **nombres décimaux** 2,6 et 2,7 car 2,6 < 2,64 < 2,7.

1 Entoure en rouge le plus grand nombre de chaque nuage, en vert le plus petit.

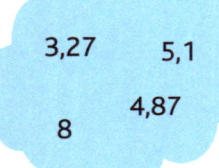

2 Range ces prix par ordre croissant.

.... < .... < .... < .... < ....

3 Complète selon l'exemple en bleu.

5 < 5,29 < 6   .... < 2,49 < .... < 5,09 < .... < 8,27 < ....

4 Complète selon l'exemple en bleu.

5,2 < 5,29 < 5,3   .... < 2,49 < .... < 5,09 < .... < 8,27 < ....

5 Quel est le plus grand nombre décimal, puis le plus petit nombre décimal que tu peux écrire avec toutes ces étiquettes ?

a) ,   8

b) 6   ,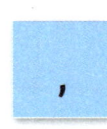

Le plus grand nombre est ....   Le plus grand nombre est ....

Le plus petit nombre est ....   Le plus petit nombre est ....

Leçon 20 — Ajouter des nombres décimaux simples

→ **Comment calculer 0,4 + 0,9 sans poser l'opération ?**
4 dixièmes + 9 dixièmes = 13 dixièmes = 1 unité 3 dixièmes
   0,4   +   0,9   =   1,3

→ **Comment calculer 1,4 + 2,9 sans poser l'opération ?**
1 unité + 4 dixièmes + 2 unités + 9 dixièmes = 3 unités + 13 dixièmes
1 unité + 4 dixièmes + 2 unités + 9 dixièmes = 4 unités 3 dixièmes
      1,4   +   2,9   = 4,3

→ **N'oublie pas : 10 dixièmes, c'est 1.**

NOMBRES ET CALCULS

Pour l'adulte

L'enfant apprend à effectuer en ligne des additions de nombres décimaux.
Cette technique repose sur 2 étapes :
• 1re étape : ajouter séparément les parties entières et les parties décimales ;
• 2de étape : si la somme des parties décimales est supérieure ou égale à l'unité, en extraire la partie entière pour terminer le calcul.

1. Calcule sans poser les opérations.

a) 0,5 + 0,4 = ...   c) 0,5 + 0,5 = ...   e) 0,1 + 0,8 = ...   g) 0,9 + 0,2 = ...

b) 0,7 + 0,5 = ...   d) 0,3 + 0,7 = ...   f) 0,4 + 0,6 = ...   h) 0,6 + 0,6 = ...

2. Calcule sans poser les opérations.

a) 1,4 + 0,4 = ...   c) 2,5 + 0,5 = ...   e) 2,4 + 0,6 = ...

b) 1,6 + 0,8 = ...   d) 7 + 0,7 = ...   f) 0,9 + 8,2 = ...

La somme de 2 décimaux peut être égale à un nombre entier : 0,7 + 0,3 = 1

3. Calcule sans poser les opérations.

a) 1,2 + 1,4 = ...   c) 4,3 + 2,5 = ...   e) 1,3 + 1,8 = ...   g) 2,8 + 5,5 = ...

b) 1,7 + 2,5 = ...   d) 3,5 + 2,1 = ...   f) 4,9 + 6,9 = ...   h) 2,5 + 2,5 = ...

4. Problème.

Puis-je acheter un croissant et une baguette avec 1,50 € ?
(croissant 0,80 € ; baguette 0,90 €)

....
....
....
....

5. Problème.

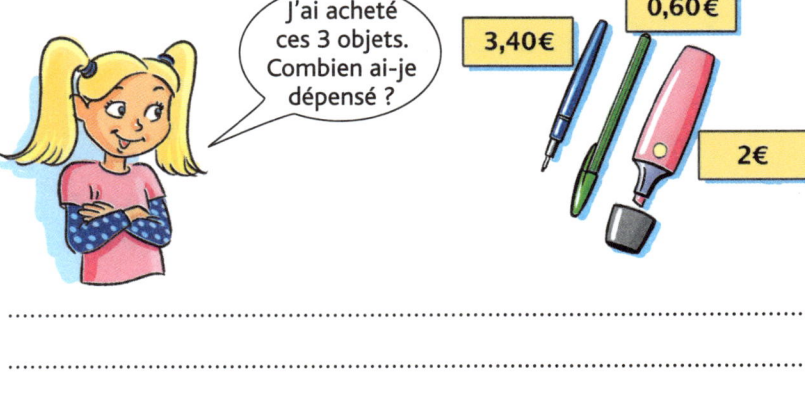

J'ai acheté ces 3 objets. Combien ai-je dépensé ?
(3,40 € ; 0,60 € ; 2 €)

....
....
....
....

Leçon 21 — Calculer la moitié d'un nombre impair

NOMBRES ET CALCULS

Pour l'adulte
Rappelez à l'enfant la différence entre un nombre pair et un nombre impair. La moitié d'un nombre pair est un nombre entier. La moitié d'un nombre impair est un nombre à virgule. Nous lui proposons deux méthodes de calcul. Par la suite, laissez-lui le choix.

Comment calculer la moitié d'un nombre impair ?
2 méthodes sont possibles :
Exemple : calculer la moitié de 23.

➜ **Première méthode**
Moitié de 23 = moitié de 20 + moitié de 3
Moitié de 23 =   10   +   1,5
Moitié de 23 = 11, 5

➜ **Seconde méthode**
Moitié de 23 = moitié de 22 + moitié de 1
Moitié de 23 =   11   +   0,5
Moitié de 23 = 11,5

À connaître par ♥
1 = 0,5 + 0,5
3 = 1,5 + 1,5
5 = 2,5 + 2,5
7 = 3,5 + 3,5
9 = 4,5 + 4,5

1) Calcule en appliquant la première méthode.

a) Moitié de 15 = moitié de 10 + moitié de 5
   Moitié de 15 = ... + ...
   Moitié de 15 = ...

b) Moitié de 29 = moitié de .... + moitié de ....
   Moitié de 29 = ... + ...
   Moitié de 29 = ...

2) Calcule en appliquant la seconde méthode.

a) Moitié de 41 = moitié de 40 + moitié de 1
   Moitié de 41 = ... + ...
   Moitié de 41 = ...

b) Moitié de 63 = moitié de .... + moitié de ....
   Moitié de 63 = ... + ...
   Moitié de 63 = ...

3) Problème

Pauline et sa maman vont au concert. La place adulte coûte 45 €. Un enfant paie demi-tarif.
Quel est le prix d'une place demi-tarif ? Combien vont-elles payer en tout ?

....
....
....
....
....
....

4) De quel nombre 24,5 est-il la moitié ?

0,5 est la moitié de ....
24 est la moitié de ....
24,5 est la moitié de ....

Leçon 22 — Décimaux et mesures

NOMBRES ET CALCULS

Pour l'adulte

Avant de travailler sur cette fiche, vérifiez que l'enfant a acquis :
– les conversions entre les différentes unités de mesure ;
– l'écriture d'un nombre à virgule à partir d'une fraction décimale.

➜ **Comment exprimer 203 cm en mètres avec un nombre décimal ?**
203 cm = 200 cm + **3 cm** = 2 m + **3 cm** ;
1 cm = $\frac{1}{100}$ m ; **3 cm** = $\frac{3}{100}$ m = **0,03 m** ;
2 m **3 cm** = 2 m + **0,03 m** = **2,03** m.

On convertit 203 cm en m et cm. Le préfixe « centi » signifie « centième ». On remplace 3 cm par son écriture décimale en mètres.

➜ **Comment exprimer 1,87 m en mètres et centimètres ?**
1,87 m = 1 m + **0,87 m** ;
0,87 m = $\frac{87}{100}$ m = **87 cm** ;
1 m + **0,87 m** = 1 m + **87 cm** = 1 m **87 cm**.

On décompose 1,87 m. On écrit 0,87 m en fraction décimale, puis en centimètres. On remplace 0,87 m par son écriture en centimètres.

1 Exprime ces mesures par un nombre à virgule.

a) 1 dg = $\frac{1}{10}$ g = ... g

b) 2 dL = $\frac{2}{10}$ L = ... L

c) 3 cL = $\frac{3}{100}$ L = ... L

d) 5 c = $\frac{5}{100}$ € = ... €

2 Exprime ces mesures par un nombre à virgule.

a) 30 cm = ... m

b) 20 c = ... €

c) 75 cL = ... L

d) 3 g 18 cg = ... g

3 Convertis.

a) 0,5 m = ... cm

b) 0,25 L = ... cL

c) 2,38 g = ... g .... cg

d) 1,90 € = ... € c

4 Relie.

50 cm   50 dm   5 cm   5 dm

0,5 m   0,05 m   5 m

5 Combien Théo a-t-il dépensé ? Exprime cette somme, en euros, sous la forme d'un nombre à virgule.

J'ai acheté 3 sucettes à 60 c l'une.

Théo a dépensé .... €.

Leçon 23 — Calculatrice et décimaux

NOMBRES ET CALCULS

Pour l'adulte
La calculatrice est utilisée dans la résolution de problèmes quand les calculs deviennent trop longs ou difficiles. C'est souvent le cas avec les nombres décimaux.

→ **Comment calculer 2,6 × 8 en utilisant la calculatrice ?**
On tape sur les touches :
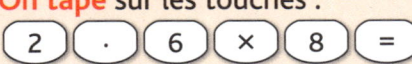

Attention ! Sur la calculatrice, le point remplace la virgule.
On lit le résultat sur l'écran : 20,8.

→ **Comment vérifier le résultat ?**
On vérifie en calculant mentalement la valeur approchée du résultat :
2,6 × 8, c'est proche de 3 × 8 = 24.
Le résultat de 2,6 × 8 est proche de 24.

1 Trouve le résultat de ces opérations à l'aide de la calculatrice.

a) 4,8 + 2,49 = ...   c) 8,3 + 9,71 = ...   e) 19,7 − 9,25 = ...
b) 6,7 − 4,12 = ...   d) 25,7 + 43,82 = ...   f) 28,4 − 0,32 = ...

2 Dessine les touches que tu utilises pour trouver la moitié de 13.

Effectue l'opération avec la calculatrice.   Moitié de 13 = ...
Vérifie : .... + ... = 13.

Trouver la moitié, c'est diviser (÷) par 2 !

3 Lucie a un billet de 20 €. A-t-elle assez d'argent pour acheter un stylo à 10 € 70 c et un compas à 5 € 50 c ?

a) Écris chaque prix en euros avec un nombre décimal.
10 € 70 c = ... €.
5 € 50 c = ... €.

b) Utilise la calculatrice pour trouver combien va payer Lucie.
.... = ... Lucie va payer ....

c) Utilise la calculatrice pour trouver combien on va lui rendre.
.... = ... On va lui rendre ....

10 € 70 c s'écrit aussi 10,70 €.

4 Pour savoir à quel jeu jouent Théo et Léa pendant la récréation, calcule cette opération, puis retourne la calculatrice pour « lire » le mot.

78,9 × 65,4 × 100 + 21 712 = ...

Théo et Léa jouent aux ....

Leçon 24 — L'addition posée de deux nombres décimaux

NOMBRES ET CALCULS

Pour l'adulte
Veillez à ce que l'enfant place convenablement les chiffres dans les colonnes et n'oublie pas de placer la virgule sous les autres virgules. Les additions comportent souvent des retenues qu'il ne faut pas oublier de reporter.

Comment calculer 27,4 + 6,78 en posant l'opération ?
→ **On pose l'opération** en écrivant les virgules sous les virgules, donc les unités sous les unités.
→ On commence **l'addition** par **les chiffres de droite** comme pour une addition de nombres entiers.
→ On continue l'addition sans oublier **les retenues**.
→ **On place la virgule** dans le résultat après le chiffre des unités.

27,4 + 6,78 = 34,18

c	d	u	dixièmes	centièmes
	①	①		
	2	7,	4	
+		6,	7	8
	3	4,	1	8

N'oublie pas de placer la virgule du résultat après le chiffre des unités.

1 Calcule.

a) 4,65 + 3,8 = ...   b) 1,53 + 6,67 = ...   c) 15,9 + 4,18 = ...

Range bien les unités sous les unités. N'oublie ni les retenues ni les virgules.

2 Pose et calcule.

a) 2,68 + 3,5 = ...   b) 5,7 + 3,09 = ...   c) 68,5 + 4,96 = ...

3 Barre les opérations fausses.

```
    2, 7 9            8 5, 9            3 4, 8            1 9, 4
+   5 4, 3       +      5 1, 1     +    5 1, 3       +       6, 3
=   8, 2 2       =  1 3 7, 0       =    8, 6 1       =     2 5, 7
```

Leçon 25 — La soustraction posée de deux nombres décimaux

NOMBRES ET CALCULS

Pour l'adulte

Veillez à ce que l'enfant place convenablement les chiffres dans les colonnes et n'oublie pas de placer la virgule sous les autres virgules. Pour éviter les erreurs, demandez-lui de compléter par un zéro les rangs des dixièmes ou des centièmes s'ils sont vides.

Comment calculer 97,4 – 28,16 en posant l'opération ?

→ On place les virgules sous les virgules et les unités sous les unités.

	d	u	dixièmes	centièmes
	9	17,	4	10
−	2 (+1)	8,	1 (+1)	6
	6	9,	2	4

→ On complète la partie décimale de 97,4 avec un zéro (97,4**0**) afin que les deux nombres aient le même nombre de chiffres après la virgule.

On calcule la soustraction comme pour des nombres entiers sans oublier les retenues.

On place la virgule après le chiffre des unités.   **97,4 – 28,16 = 69,24**

1 Calcule.

a) 4,6 – 3,8 = ...

	u	dixièmes
	4,	6
−	3,	8
=	....	....

b) 7,52 – 6,7 = ...

	u	dixièmes	centièmes
	7,	5	2
−	6,	7	
=	....	....	

c) 9,4 – 1,82 = ...

	u	dixièmes	centièmes
	9,	4	
−	1,	8	2
=	....	....	

N'oublie pas de compléter les parties décimales avec des zéros si nécessaire.

2 Pose et calcule.

a) 45,8 – 3,5 = ...

b) 105,7 – 47,09 = ...

c) 68 – 0,96 = ...

d) 0,468 – 0,193 = ...

3 Barre les opérations fausses.

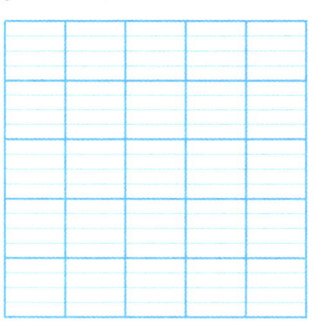

Leçon 26 — Valeurs approchées et nombres décimaux

NOMBRES ET CALCULS

Pour l'adulte
Dans un premier temps, aidez l'enfant à trouver l'arrondi d'un prix à l'euro le plus proche : 19,90 € est plus proche de 20 € que de 19 €. Dans un second temps, demandez-lui d'estimer la valeur d'une somme : 19,90 € + 4,80 € est proche de 20 € + 5 €, soit 25 €.

➜ **Arrondir un nombre décimal au nombre entier le plus proche**
Pour trouver le nombre entier le plus proche d'un nombre décimal, on peut s'aider d'un schéma :

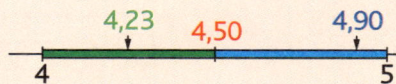

Le nombre entier le plus proche de **4,23** est **4**.
4 est une valeur approchée de **4,23**.
Le nombre entier le plus proche de **4,90** est **5**.
5 est une valeur approchée de **4,90**.

➜ **Trouver un ordre de grandeur**
On utilise des **valeurs approchées** pour estimer le résultat d'un calcul.
Le résultat de 4,23 + 4,90 est proche de **4 + 5 = 9**.

1 Aide-toi de la droite graduée pour arrondir chacun de ces nombres décimaux au nombre entier le plus proche.

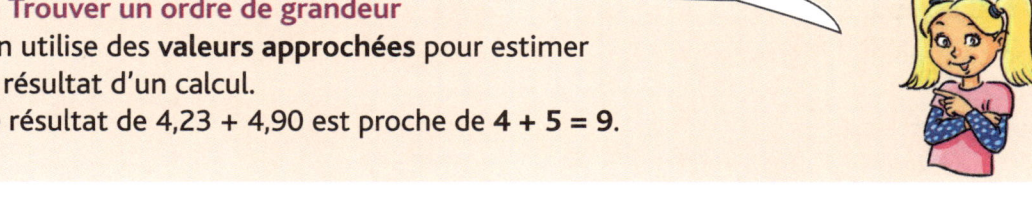

a) 8,3 → ....
b) 7,8 → ....
c) 9,73 → ....
d) 10,15 → ....

2 Arrondis chaque nombre au nombre entier le plus proche.

a) 7,2 → ....
b) 8,9 → ....
c) 9,9 → ....
d) 10,1 → ....
e) 7,32 → ....
f) 9,99 → ....
g) 10,01 → ....
h) 5,85 → ....

3 Arrondis chaque nombre au nombre entier le plus proche, puis donne une valeur approchée du résultat de ces calculs.

a) 4,1 + 9,8 → .... + ... = ...
b) 10,18 + 9,10 → .... + ... = ...
c) 3,8 − 2,9 → .... − .... = ...
d) 9,84 − 2,12 → .... − .... = ...

4 Louise achète une bouteille d'huile à 12,10 €, un paquet de pâtes à 2,85 € et un pot de confiture à 4,25 €. Donne une valeur approchée du montant de ses achats.

Arrondis chaque prix à l'euro le plus proche.

12,10 € → .... €   2,85 € → .... €   4,25 € → .... €

Leçon 27 — Situations de division : calculer un nombre de parts

NOMBRES ET CALCULS

Pour l'adulte
L'objectif de la leçon est d'expliquer à l'enfant comment calculer un nombre de parts en cherchant le quotient de la division sans poser l'opération. C'est aussi l'occasion de rappeler que, dans une situation de division, le reste est toujours inférieur au diviseur.

Une fleuriste a 50 roses.
Combien de bouquets de 6 roses peut-elle faire ?

➜ **Comment calculer un nombre de parts ?**
On utilise la table de multiplication par **6** :
50 est entre 48 et 54.
6 × 9 = 54 : elle ne peut pas faire 9 bouquets, car il lui faudrait 54 roses.
6 × 8 = 48 : elle peut faire **8** bouquets et il restera **2** roses, car 50 − 48 = **2**.

$$50 = 6 \times 8 + 2$$

$6 \times 6 = 36$
$6 \times 7 = 42$
$6 \times 8 = 48$
$6 \times 9 = 54$ ← 50

➜ **Diviseur, quotient et reste**
On a **divisé 50 par 6** : le **diviseur** est **6**.
Le nombre de bouquets **(8)** est le **quotient**.
Le nombre de roses qui n'ont pas pu être rangées **(2)** est le **reste**.

---

1 Lucie et Julie calculent le nombre de sacs de 8 oranges que l'on peut obtenir avec 89 oranges. Qui a raison ? Entoure le nom de l'enfant qui a bien calculé.

Lucie : 89 = 8 × 11 + 1
On peut obtenir 11 sacs et il restera 1 orange.

Julie : 89 = 8 × 10 + 9
On peut obtenir 10 sacs et il restera 9 oranges.

$8 \times 10 = 80$
$8 \times 11 = 88$ ← 89
$8 \times 12 = 96$
$8 \times 13 = 104$
$8 \times 14 = 112$

2 Calcule le nombre de sachets de 9 macarons que l'on peut obtenir avec 41 macarons. Combien restera-t-il de macarons ?

41 = 9 × .... + ...

On peut obtenir .... sachets.

Il restera .... macarons.

$9 \times 2 = 18$
$9 \times 3 = 27$
$9 \times 4 = 36$
$9 \times 5 = 45$
$9 \times 6 = 54$

Le reste est toujours plus petit que le diviseur.

3 Combien de barquettes de 10 pommes peut-on obtenir avec 167 pommes ?

167 = 10 × .... + ...

On peut obtenir .... barquettes. Il restera .... pommes.

$10 \times 13 = 130$
$10 \times 14 = 140$
$10 \times 15 = 150$
$10 \times 16 = 160$
$10 \times 17 = 170$

Leçon 28 — Situations de division : calculer la valeur d'une part

NOMBRES ET CALCULS

Pour l'adulte
L'objectif de la leçon est d'expliquer à l'enfant comment calculer la valeur d'une part en cherchant le quotient sans poser l'opération. On rappelle que dans une situation de division le reste est toujours inférieur au diviseur.

Léa distribue 78 cartes entre 4 joueurs.
Combien de cartes chaque joueur aura-t-il ?

➜ **Comment calculer le nombre de cartes de chacun (valeur d'une part) ?**
On utilise la table des multiples de 4.
78 est entre 76 et 80.
4 × 20 = 80 : Léa ne peut pas donner 20 cartes à chacun, car il lui faudrait 80 cartes.
4 × 19 = 76 : chacun aura 19 cartes et il restera 78 − 76 = 2 cartes.
$$78 = 4 \times 19 + 2.$$

4 × 17 = 68
4 × 18 = 72
4 × 19 = 76 ← 78
4 × 20 = 80

➜ **Diviseur, quotient et reste**
On a **divisé** 78 par 4 : le **diviseur** est 4. La part de chacun (19) est le **quotient**.
Le nombre de cartes qui n'ont pas été distribuées (2) est le **reste**.

---

1 Six amis se partagent un paquet de 80 biscuits. Paul et Nicolas ont calculé la part de chacun. Entoure le nom de l'enfant qui donne la bonne réponse.

Paul : « Notre part sera de 12 biscuits chacun :
6 × 12 = 72
80 − 72 = 8
Il restera 8 biscuits. »

Nicolas : « Nous en aurons 13 chacun :
6 × 13 = 78
80 − 78 = 2
Il restera 2 biscuits. »

6 × 10 = 60
6 × 11 = 66
6 × 12 = 72
6 × 13 = 78 ← 80
6 × 14 = 84

---

2 Cinq amis se partagent un jeu de 78 cartes.
Combien de cartes chacun recevra-t-il ?
Combien restera-t-il de cartes ?

5 × 12 = 60
5 × 13 = 65
5 × 14 = 70
5 × 15 = 75
5 × 16 = 80

Intercale 78 entre deux multiples de 5.

78 = 5 × .... + ...

Chacun recevra .... cartes.

Il restera .... cartes.

---

3 Dix brigands se partagent 60 pièces d'or.

a) Combien de pièces d'or chacun recevra-t-il ?

60 = 10 × .... + ...

Chacun recevra .... pièces d'or.

b) Restera-t-il des pièces ? ☐ Oui ☐ Non

4 Quel est le quotient et le reste de la division de 25 par 3 ?

....
....
....
....

Leçon 29 — La division posée : diviser par un nombre d'un chiffre, quotient entier

NOMBRES ET CALCULS

Pour l'adulte

Faites remarquer à l'enfant que l'on commence cette opération par le chiffre de gauche du dividende (c'est-à-dire du nombre que l'on divise). Une division posée est une suite de divisions élémentaires. (Ici, 9 divisé par 6, puis 34 divisé par 6 et enfin 43 divisé par 6.) Le reste de chaque division élémentaire doit être plus petit que le diviseur.

Comment diviser 943 par 6 en posant l'opération ?

→ On commence par le chiffre de gauche : celui des **centaines**.
En 9 combien de fois 6 ?
« Il y va » 1 fois : 1 × 6 = 6.
On écrit 6 sous le 9.   9 − 6 = 3.
Il reste 3 centaines.

→ Ensuite, on abaisse le chiffre des **dizaines**, 4.
En 34 combien de fois 6 ?
« Il y va » 5 fois : 5 × 6 = 30.
On écrit 30 sous le 34.   34 − 30 = 4.

→ Pour terminer, on abaisse le chiffre des **unités**, 3.
En 43 combien de fois 6 ? « Il y va » 7 fois : 7 × 6 = 42.
On écrit 42 sous le 43.   43 − 42 = 1.   On vérifie : **943 = 6 × 157 + 1**

1 Effectue.

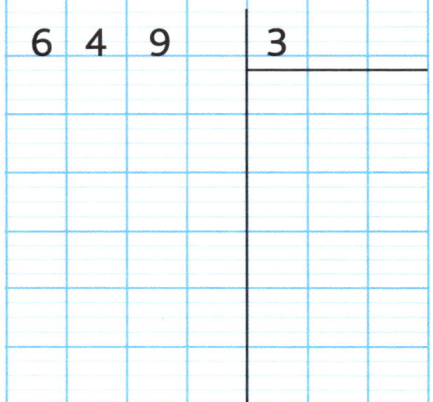

Le quotient est .... ;
le reste est ....

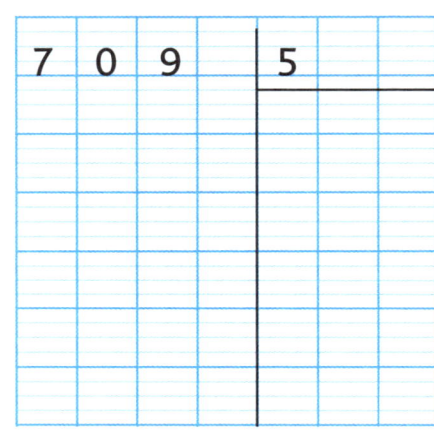

Le quotient est .... ;
le reste est ....

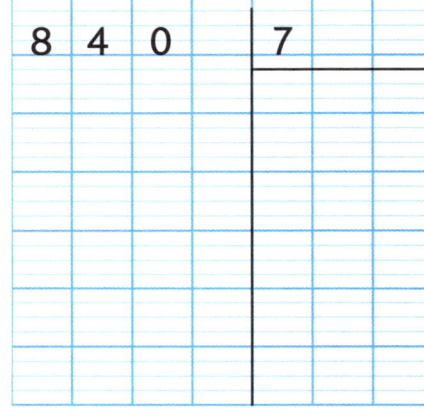

Le quotient est .... ;
le reste est ....

2 Pose et effectue.

584 divisé par 4

Le quotient est .... ; le reste est ....

479 divisé par 6

Le quotient est .... ; le reste est ....

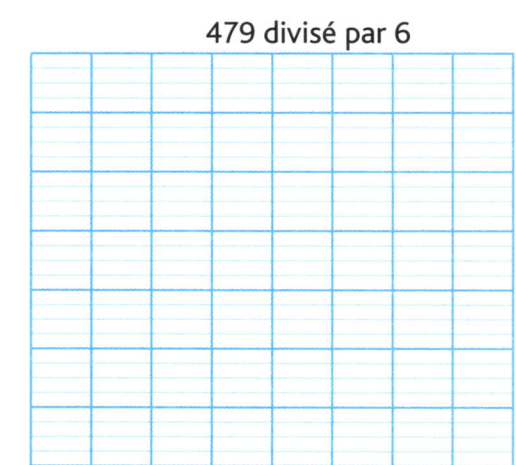

Dans la dernière division, tu es obligé de prendre 2 chiffres au dividende, 479, car 6 > 4.

CORRIGÉS

Leçon 1 (page 4)
❶ a) 226 420 ; b) 96 345
❷ a) Cent-soixante-dix-mille-trente-six
b) Cent-quatre-vingt-treize-mille-cent
❸ a) ①2③ ⑨86 b) ③4① ⓪93
c) ①50 ①90
❹

207 890	(2 × 100 000) + (7 × 1 000) + (8 × 100) + (9 × 10)
506 458	(5 × 100 000) + (6 × 1 000) + (4 × 100) + (5 × 10) + 8

❺ 12 100 < 12 700 < 51 200 < 120 500 < 142 900

Leçon 2 (page 5)
❶

406 380 200	406 millions 380 mille 200
25 069 784	25 millions 69 mille 784
4 050 000	4 millions 50 mille

❷ a) 618 032 062 ; b) 38 004 620 ; c) 9 002 000
❸ a) 3 5⑥ 567 000 c) ⑧⑤ 287 122
b) ⑩0 700 000 d) 99⑨ 700 000
❹ 82 850 000 > 67 200 000 > 8 772 000 > 8 419 000

Leçon 3 (page 6)
❶ a) 37 + 24 = 61 ; b) 56 + 35 = 91
❷ a) 52 + 28 = 80 ; b) 65 + 36 = 101
❸ a) 36 + 27 = 63 ; b) 48 + 34 = 82
❹ 18 € + 34 € = 52 €

Leçon 4 (page 7)
❶ a) 124 − 92 = 32 ; b) 159 − 83 = 76
❷ a) 153 − 89 = 64 ; b) 171 − 95 = 76
❸ Il reste 39 € à payer.
❹ Théo doit encore lire 79 pages.

Leçon 5 (page 8)
❶
4	3	9		8	0	5		1	8	0	8
−	3	5	2		−		5	2		−	1	6	5	9
=	0	8	7		=	7	5	3		=	0	1	4	9

❷
1	9	0		3	0	3		1	0	8	0
−	1	5	7		−	2	5	5		−		3	0	9
=	0	3	3		=	0	4	8		=	0	7	7	1

❸ 🍋 = 5 🍎 = 7 🍌 = 3 🍊 = 8

Leçon 6 (page 9)
❶ a) 100 − 60 = 40. Il lui reste 40 €. b) 40 − 30 = 10. Il lui reste 10 €.
❷ a) 38 + 23 = 61. À midi, il a 61 billes.
b) 61 − 9 = 52. Le soir, il a 52 billes.

❸ a) 20 − 4 = 16. Le gâteau coûte 16 €.
b) 4 − 2,50 = 1,50. Le prix du pain est 1 € 50 c.
❹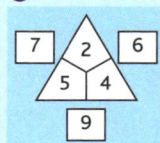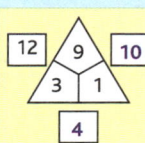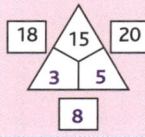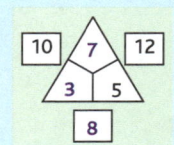

Leçon 7 (page 10)
❶ a) 420 ; b) 5 600 ; c) 30 000 ; d) 1 470 ; e) 25 000 ; f) 280 000
❷ a) 1 000 ; b) 100 ; c) 100 ; d) 10 ; e) 100 ; f) 10
❸ a) 32 ; b) 250 ; c) 500 ; d) 490 ; e) 1 000 ; f) 200
❹ a) Melissa doit donner 12 billets de 100 €.
b) Melissa doit donner 120 billets de 10 €.
❺ C'est le nombre 30.

Leçon 8 (page 11)
❶ 15 ⑱ ⑳ 31 46 ⑦② 87 104 578 600
❷ ⑮ ⑳ ㉕ ㉚ 36 ⑨⓪ ⑪⓪ ②⓪⓪ 271 855
❸ ㊿ ⑨⓪ ⑩⓪ ②③⓪ 405 ⑤⓪⓪ 502 895 ⑨⓪⓪ ①⓪⓪⓪
❹ a) 230 ; b) 235 ; c) 230
❺ 46 ⑥⓪ ⑩⓪ 134 465 ⑤⑦⓪ ⑦⑦⓪ 882 ⑨⓪⓪ ①⓪⓪⓪
Les nombres entourés sont aussi divisibles par 10.
❻ 998 ; 1 000 ; 1 002 ; 1 004 ; 1 006 ; 1 008

Leçon 9 (page 12)
❶
	1	5	3			9	0	8			1	0	4	8
×			5		×			7		×				8
=	7	6	5		=	6	3	5	6		=	8	3	8	4

❷
	2	1	6			3	9	0			1	0	0	9
×			3		×			8		×				9
=	6	4	8		=	3	1	2	0		=	9	0	8	1

❸

CORRIGÉS

Leçon 10 (page 13)

❶
```
   7 6 3        2 3 6 1        1 5 7 9
 ×   1 2      ×     2 5      ×     3 4
 ───────      ─────────      ─────────
 1 5 2 6      1 1 8 0 5        6 3 1 6
 7 6 3 0      4 7 2 2 0      4 7 3 7 0
 ───────      ─────────      ─────────
 9 1 5 6      5 9 0 2 5      5 3 6 8 6
```

❷
```
   3 0 6          2 5 9        1 6 0 8
 ×   2 6        ×   4 5      ×     5 4
 ───────        ───────      ─────────
 1 8 3 6        1 2 9 5        6 4 3 2
 6 1 2 0        1 0 3 6 0    8 0 4 0 0
 ───────        ─────────    ─────────
 7 9 5 6        1 1 6 5 5    8 6 8 3 2
```

❸ 🍎 = 2   🍋 = 1   🍌 = 2   🍊 = 0

Leçon 11 (page 14)

❶ $30 \times 8 = 240$. Leïla peut ranger **240** timbres.
❷ $30 + 8 = 38$. Morgane a rangé **38** images.
❸ a) $24 \times 10 = 240$. Le maraîcher a planté **240** salades.
b) $24 + 10 = 34$. Les enfants ont planté **34** salades.

Leçon 12 (page 15)

❶ a) (30 €) ;   b) (20 €)
❷ a) (300 €) ; b) (700 €)
❸ a) 40 ; b) 30 ; c) 60 ; d) 50 ; e) 40 ; f) 50

Opération	Calcul approché	Résultat		
1 036 + 2 867	1 000 + 3 000 = 4 000	1 903	5 803	**3 903**
302 − 197	300 − 200 = 100	499	**105**	5
38 × 23	40 × 20 = 800	274	**874**	1 374

Leçon 13 (page 16)

❶
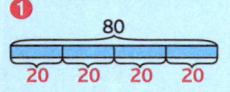 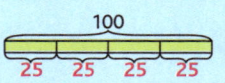 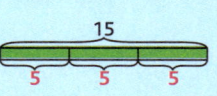

La moitié de 80, c'est **40**.
Le quart de 80, c'est **20**.

La moitié de 100, c'est **50**.
Le quart de 100, c'est **25**.

Le tiers de 15, c'est **5**.
Les deux tiers de 15, c'est **10**.

❷
Moitié ou demi	12	16	40	100	500
Quart	6	8	20	50	250

❸ Le tiers de 60, c'est **20**. Un tiers-temps dure **20 minutes**.

❹ J'ai une ligne complète (10, 11, 25) ☒ Oui   ☐ Non

Leçon 14 (page 17)

❶ $\frac{1}{4}$ $\frac{1}{3}$ $\frac{3}{4}$

❷
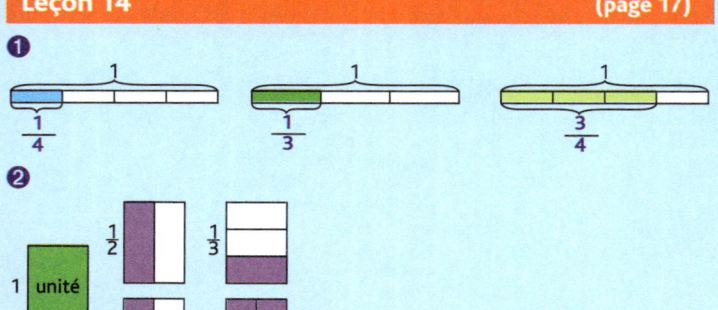

❸
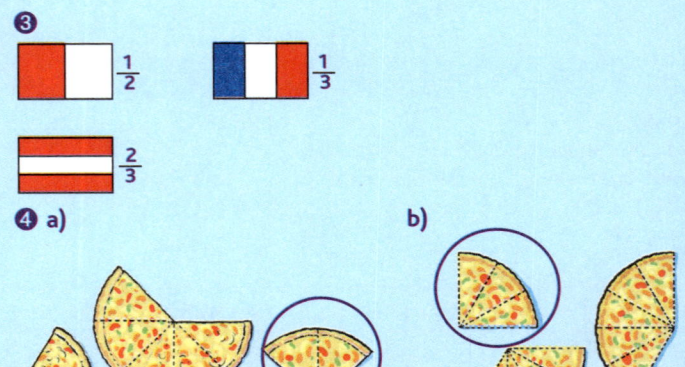

$\frac{1}{2}$ $\frac{1}{3}$ $\frac{2}{3}$

❹ a)   b)
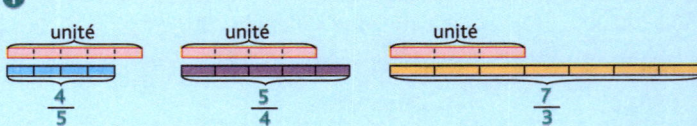

Leçon 15 (page 18)

❶
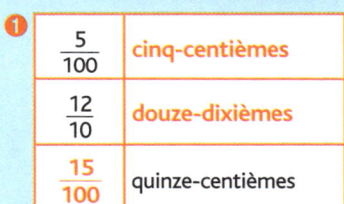

$\frac{4}{5}$ $\frac{5}{4}$ $\frac{7}{3}$

❷ $\frac{3}{3} = 1$; $\frac{8}{4} = 2$; $\frac{6}{3} = 2$; $\frac{10}{10} = 1$; $\frac{15}{5} = 3$; $\frac{12}{4} = 3$

❸ $\left(\frac{3}{2}\right)$ $\frac{3}{4}$ $\left(\frac{4}{3}\right)$ $\frac{1}{2}$ $\left(\frac{7}{4}\right)$

❹ $\frac{7}{4} = \frac{4}{4} + \frac{3}{4} = 1 + \frac{3}{4}$ $\frac{4}{3} = \frac{3}{3} + \frac{1}{3} = 1 + \frac{1}{3}$ $\frac{5}{2} = \frac{2}{2} + \frac{2}{2} + \frac{1}{2} = 2 + \frac{1}{2}$

Leçon 16 (page 19)

❶
$\frac{5}{100}$	**cinq-centièmes**
$\frac{12}{10}$	**douze-dixièmes**
$\frac{15}{100}$	quinze-centièmes

❷ $\left(\frac{12}{10}\right)$ $\frac{9}{10}$ $\frac{45}{100}$ $\left(\frac{200}{100}\right)$ $\left(\frac{29}{10}\right)$ $\left(\frac{120}{100}\right)$

❸ $\frac{13}{10}$ $\left(\frac{25}{100}\right)$ $\frac{150}{10}$ $\left(\frac{1}{10}\right)$ $\frac{20}{10}$ $\left(\frac{20}{100}\right)$

❹
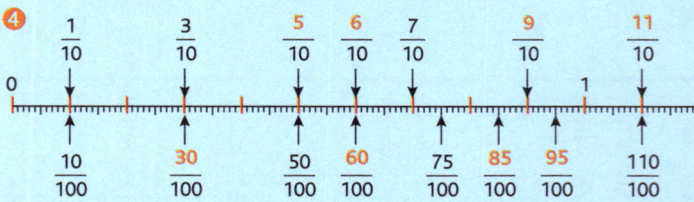

Leçon 17 (page 20)

❶ $\frac{23}{10} = \frac{20}{10} + \frac{3}{10} = 2 + \frac{3}{10}$ $\frac{31}{10} = \frac{30}{10} + \frac{1}{10} = 3 + \frac{1}{10}$

Sur la droite graduée : $\frac{17}{10}$, $\frac{23}{10}$, $\frac{31}{10}$

❷ a) $3 + \frac{5}{10}$;   b) $2 + \frac{8}{10}$;   c) $1 + \frac{5}{10}$;   d) $4 + \frac{2}{10}$

CORRIGÉS

❸ $\frac{84}{100} = \frac{80}{100} + \frac{4}{100} \rightarrow \frac{84}{100} = \frac{8}{10} + \frac{4}{100}$

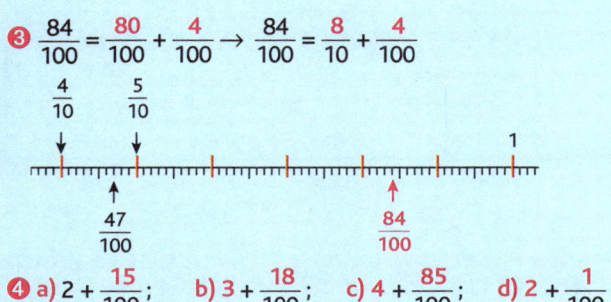

❹ a) $2 + \frac{15}{100}$; b) $3 + \frac{18}{100}$; c) $4 + \frac{85}{100}$; d) $2 + \frac{1}{100}$

Leçon 18 (page 21)

❶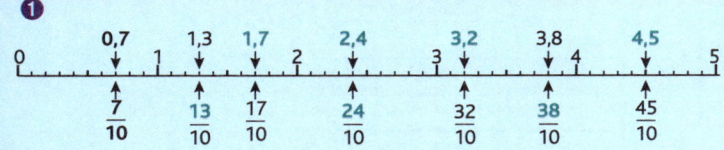

❷ a) $\frac{258}{100} = 2 + \frac{58}{100} \rightarrow \frac{258}{100} = 2 + 0,58 \rightarrow \frac{258}{100} = 2,58$

b) $\frac{409}{100} = 4 + \frac{9}{100} \rightarrow \frac{409}{100} = 4 + 0,09 \rightarrow \frac{409}{100} = 4,09.$

❸ a) $\frac{6}{10}$; b) $\frac{4}{10}$; c) $\frac{34}{10}$; d) $\frac{2}{100}$; e) $\frac{28}{100}$; f) $\frac{148}{100}$

❹

Leçon 19 (page 22)

❶ **3,27** 5,1 **8** 4,87 6,5 **6,15** 6,20 **6,8**
❷ 1,99 € < 3,30 € < 3,35 € < 3,40 € < 4,10 €
❸ 2 < 2,49 < 3 5 < 5,09 < 6 8 < 8,27 < 9
❹ 2,4 < 2,49 < 2,5 5 < 5,09 < 5,1 8,2 < 8,27 < 8,3
❺ a) Le plus grand nombre est **86,1**. Le plus petit nombre est **1,68**.
b) Le plus grand nombre est **64,0**. Le plus petit nombre est **0,46**.

Leçon 20 (page 23)

❶ a) 0,9 ; b) 1,2 ; c) 1 ; d) 1 ; e) 0,9 ; f) 1 ; g) 1,1 ; h) 1,2
❷ a) 1,8 ; b) 2,4 ; c) 3 ; d) 7,7 ; e) 3 ; f) 9,1
❸ a) 2,6 ; b) 4,2 ; c) 6,8 ; d) 5,6 ; e) 3,1 ; f) 11,8 ; g) 8,3 ; h) 5
❹ 0,80 + 0,90 = 1,70 €. Avec 1,50 €, je ne peux pas acheter une baguette et un croissant, car ils coûtent 1,70 € en tout.
❺ 3,4 + 0,6 + 2 = 6 €. J'ai dépensé 6 €.

Leçon 21 (page 24)

❶ a) Moitié de 15 = moitié de 10 + moitié de 5 = 5 + 2,5 = 7,5
b) Moitié de 29 = moitié de 20 + moitié de 9 = 10 + 4,5 = 14,5
❷ a) Moitié de 41 = moitié de 40 + moitié de 1 = 20 + 0,5 = 20,5
b) Moitié de 63 = moitié de 62 + moitié de 1 = 31 + 0,5 = 31,5
❸ Pauline paie la moitié de 45 € : 22,50 €.
Ensemble, elles vont payer : 45 € + 22,5 € = 67,50 €.
❹ 0,5 est la moitié de **1**. 24 est la moitié de **48**. 24,5 est la moitié de **49**.

Leçon 22 (page 25)

❶ a) 1 dg = 0,1 g ; b) 2 dL = 0,2 L ; c) 3 cL = 0,03 L ; d) 5 c = 0,05 €
❷ a) 30 cm = 0,30 m ; b) 20 c = 0,20 € ; c) 75 cL = 0,75 L ;
d) 3 g 18 cg = 3,18 g

❸ a) 0,5 m = **50** cm ; b) 0,25 L = **25** cL ; c) 2,38 g = **2** g **38** cg ;
d) 1,90 € = **1** € **90** c
❹ 50 cm → 0,5 m ; 50 dm → 5 m ; 5 cm → 0,05 m ; 5 dm → 0,5 m
❺ Théo a dépensé **1,80 €**.

Leçon 23 (page 26)

❶ a) 7,29 ; b) 2,58 ; c) 18,01 ; d) 69,52 ; e) 10,45 ; f) 28,08
❷ (1)(3)(÷)(2)(=)
Moitié de 13 = **6,5** 6,5 + 6,5 = 13.
❸ a) 10 € 70 c = 10,70 € ; 5 € 50 c = 5,50 €
b) 10,70 + 5,50 = 16,20. Lucie va payer 16 € 20 c.
c) 20 − 16,20 = 3,80. On va lui rendre 3 € 80 c ou 3,80 €.
❹ 78,9 × 65,4 × 100 + 21 712 = 537 718
Théo et Léa jouent aux **billes**.

537718 BILLES

Leçon 24 (page 27)

❶ a) 8,45 b) 8,20 c) 20,08

```
   4, 6 5        1, 5 3        1 5, 9
 + 3, 8        + 6, 6 7      +    4, 1 8
 = 8, 4 5      = 8, 2 0      = 2 0, 0 8
```

❷ a) 6,18 b) 8,79 c) 73,46

```
   2, 6 8        5, 7 0        6 8, 5 0
 + 3, 5        + 3, 0 9      +    4, 9 6
 = 6, 1 8      = 8, 7 9      = 7 3, 4 6
```

❸
```
   2, 7 9                      3 4, 8
 + 5 4, 3    les virgules    + 5 1, 3
 = 8, 2 2    ne sont pas     = 8, 6 1
             alignées
```

Leçon 25 (page 28)

❶ a) 0,8 b) 0,82 c) 7,58

```
   4, 6          7, 5 2        9, 4 0
 − 3, 8        − 6, 7 0      − 1, 8 2
 = 0, 8        = 0, 8 2      = 7, 5 8
```

❷ a) 42,3 b) 58,61 c) 67,04 d) 0,275

```
   4 5, 8      1 0 5, 7 0      6 8, 0 0      0, 4 6 8
 −    3, 5    −   4 7, 0 9    −    0, 9 6   − 0, 1 9 3
 = 4 2, 3     =   5 8, 6 1    =  6 7, 0 4   = 0, 2 7 5
```

❸
```
   2, 7 9        8 4, 0        3 4, 8
 − 5 4, 3      − 5 1, 1      − 5, 1 3
 = 3, 3 6      = 3 3, 9      = 8, 3 5
```

Leçon 26 (page 29)

❶ a) 8,3 → 8 ; b) 7,8 → 8 ; c) 9,73 → 10 ; d) 10,15 → 10
❷ a) 7,2 → 7 ; b) 8,9 → 9 ; c) 9,9 → 10 ; d) 10,1 → 10 ;
e) 7,32 → 7 ; f) 9,99 → 10 ; g) 10,01 → 10 ; h) 5,85 → 6
❸ a) 14 ; b) 19 ; c) 1 ; d) 8
❹ 12,10 € → 12 € 2,85 € → 3 € 4,25 € → 4 €
Valeur approchée de ses achats : **19 €**.

CORRIGÉS

Leçon 27 (page 30)

❶ **C'est Lucie qui a bien calculé.** Julie peut remplir encore un sac.
❷ 41 = 9 × 4 + 5. On peut obtenir **4** sachets. Il restera **5** macarons.
❸ 167 = 10 × 16 + 7. On peut obtenir **16** barquettes. Il restera **7** pommes.

Leçon 28 (page 31)

❶ **Nicolas a bien calculé.** Paul peut encore donner un biscuit à chacun des 6 amis.
❷ 78 = 5 × **15** + 3. Chacun recevra **15** cartes. Il restera **3** cartes.
❸ a) 60 = 10 × **6** + 0. Chacun recevra **6** pièces d'or.
b) Restera-t-il des pièces ? ☒ Non
❹ 25 = 3 × 8 + 1. Le quotient est **8**, le reste est **1**.

Leçon 29 (page 32)

❶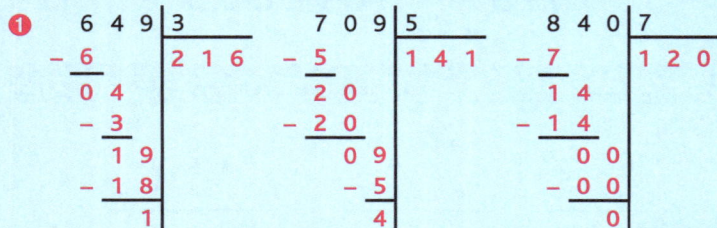

Le quotient est **216** ; le reste est **1**.
Le quotient est **141** ; le reste est **4**.
Le quotient est **120** ; le reste est **0**.

❷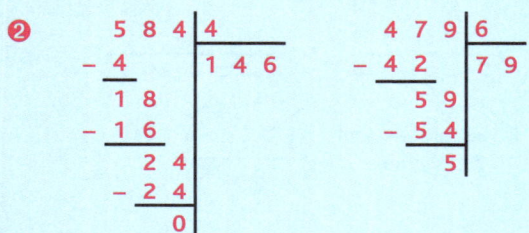

Le quotient est **146** ; le reste est **0**.
Le quotient est **79** ; le reste est **5**.

Leçon 30 (page 33)

❶ Prix d'une entrée adulte : 6 €. Prix d'une entrée enfant : 3 €.
6 + 3 + 3 = 12. Madame Lagarde paiera **12 €**.
❷ Il est **8 h 30**. Le prochain départ est à **8 h 45**.
❸ Tarif d'envoi d'une lettre de 15 g : 1 € 5 c ; de 45 g : 2 € 10 c ; de 200 g : 4 € 20 c
210 c + 630 c + 840 c = 1 680 c ou 16 € 80 c.
L'entreprise va payer **16,80 €**.
❹ (4 × 21) + (5 × 28) = 224. La note s'élève à **224 €**.

Leçon 31 (page 34)

❶ ☐2 Calcul de la masse déjà chargée sur le camion.
☐3 Calcul de la masse de matériaux que l'on peut encore charger.
☐1 Calcul de la masse des 6 sacs de ciment.
Calculs : 50 kg × 6 = 300 kg. 300 kg + 1 500 kg = 1 800 kg.
3 000 kg − 1 800 kg = 1 200 kg.
On peut encore charger **1 200 kg** sur le camion.
❷ ☐1 Calcul du prix des 6 ballons
☐3 Calcul du prix d'une raquette
☐2 Calcul du prix des 4 raquettes

Nombre	Marchandises	Prix unitaire	À payer
6	Ballons	10 €	**60 €**
4	Raquettes	**20 €**	**80 €**
Total			140 €

❸ Masse des livres : 600 g × 3 = 1 800 g.
Masse de la trousse : 4 100 g − (2 000 g + 1 800 g) = **300 g**.

Leçon 32 (page 35)

❶ a) **Finistère** ; b) **Creuse** ; c) **Ardèche, Landes, Drôme** ; d) **Finistère, Oise et Gard**

❷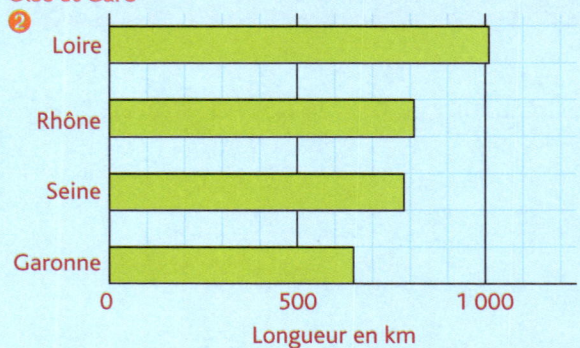

Leçon 33 (page 36)

❶
Mois	J	F	M	A	M	J	J	A	S	O	N	D
Températures (en °C)	9	12	**14**	18	17	**18**	19	**20**	20	17	**15**	**12**

La température a dépassé 18 °C en **juillet, août** et **septembre**.
❷ Au bout de 4 h, la hauteur d'eau est de **60 cm**.

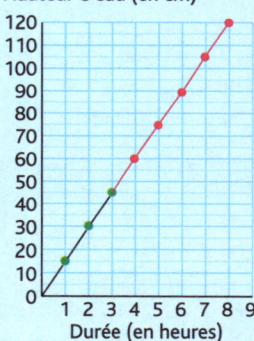

Leçon 34 (page 37)

❶ a) 18 ÷ 2 = 9. Il doit payer **9 €**.
b) 18 × 2 = 36. Elle doit payer **36 €**.
c) 9 × 3 = 27 ou 18 + 9 = 27. Elle doit payer **27 €**.
❷ Pour 4 personnes, il faut : **150 g** de farine, **1** verre de lait, **2** œufs et **25 g** de beurre.
Pour 12 personnes, il faut : **450 g** de farine, **3** verres de lait, **6** œufs et **75 g** de beurre.

CORRIGÉS

Leçon 35 (page 38)

❶ Les droites *c* et *d* sont perpendiculaires.
❷ De gauche à droite, les droites perpendiculaires à la droite verte sont : la 2ᵉ, la 5ᵉ, la 7ᵉ et la 8ᵉ.
❸

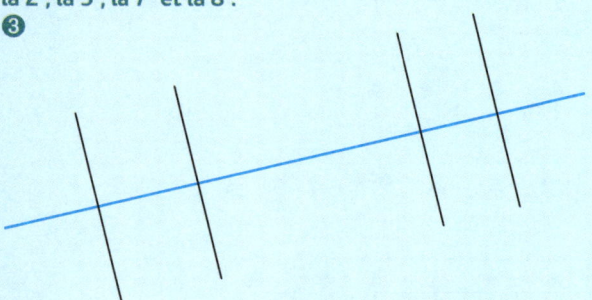

Leçon 36 (page 39)

❶ **Cadres n° 2 et n° 4** avec deux paires de droites parallèles.
Cet exercice peut être résolu par simple perception visuelle.
❷ Droites rouges : écartement constant : **oui** ; parallèles : **oui**.
Droites bleues : écartement constant : **non** ; parallèles : **non**.
❸ À vérifier par l'adulte.

Leçon 37 (page 40)

❶ *B*, *C*, *D*, *F*
❷ a) b) c)

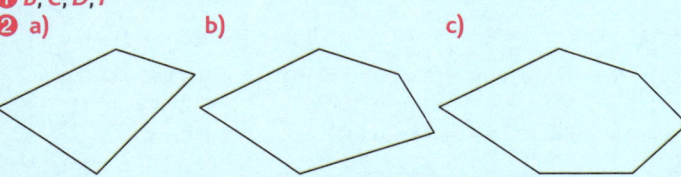

❸ *A* : 3 sommets et 3 côtés ; *B* : 4 sommets et 4 côtés ; *C* : 10 sommets et 10 côtés ; *D* : 5 sommets et 5 côtés

Leçon 38 (page 41)

❶ 2 côtés de même longueur : triangle **isocèle**.
❷ 3 côtés de même longueur : triangle **équilatéral**.
❸ Les deux triangles sont des triangles **rectangle et isocèle**.
❹ Les deux côtés de l'angle droit doivent avoir la même longueur : à vérifier par l'adulte.

Leçon 39 (page 42)

❶ Je suis un **losange**.
❷ Je suis un **rectangle** ou un **carré**.
❸ J'obtiens un **losange**.
❹ J'obtiens un **rectangle**.
❺ Côtés orange : même écartement : **oui** ; parallèles : **oui**.
Côtés verts : même écartement : **oui** ; parallèles : **oui**.
Les côtés opposés d'un rectangle sont **de même longueur**.

Leçon 40 (page 43)

❶ Construire un carré de 6 cm de côté : à vérifier par l'adulte.

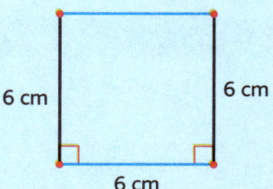

❷ Construire un losange sur quadrillage : à vérifier par l'adulte.

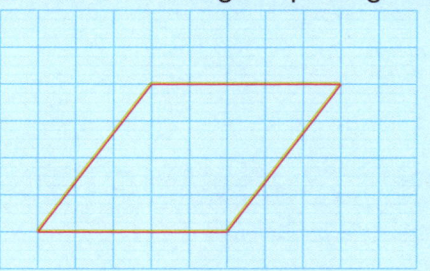

❸ Construire un rectangle de 9 cm de long et 3 cm de large : à vérifier par l'adulte.

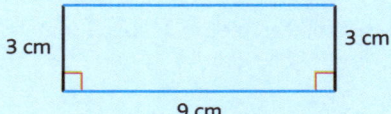

Leçon 41 (page 44)

❶

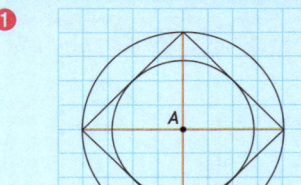 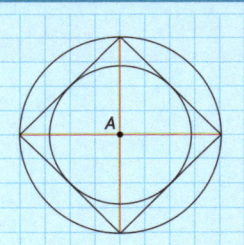

Cet exercice doit être vérifié par un adulte.

❷

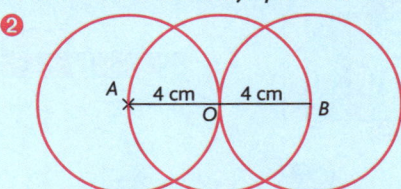

Leçon 42 (page 45)

❶ Le programme de construction qui permet de tracer précisément cette figure :

☒ Dessine un carré. Trace les segments qui joignent les milieux des côtés du carré qui se touchent.

❷

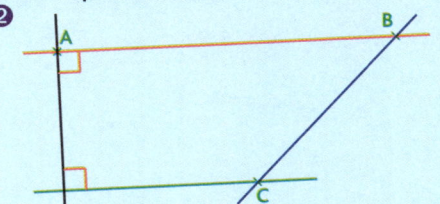

CORRIGÉS

Leçon 43 (page 46)
Les exercices 1 et 2 doivent être vérifiés par l'adulte.

Leçon 44 (page 47)
❶ Entourer la figure A.
❷ Aucun axe de symétrie : figure 3.
Un seul axe de symétrie : figure 1.
Plusieurs axes de symétrie : figure 2 (2 axes) et figure 4 (6 axes).
L'adulte vérifie les tracés.
❸
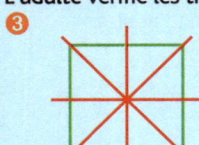

Leçon 45 (page 48)
Les exercices 1 et 2 doivent être vérifiés par l'adulte.

Leçon 46 (page 49)
❶ a) un cube ; b) un parallélépipède rectangle ; c) un parallélépipède rectangle ou un pavé
❷ a) un cube ; b) 3 faces, 7 sommets et 9 arêtes ; c) 3 faces, 1 sommet et 3 arêtes.
❸
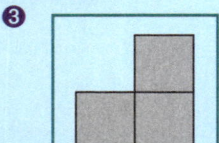 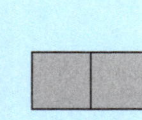 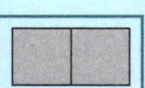

Leçon 47 (page 50)
❶ a) b) c)
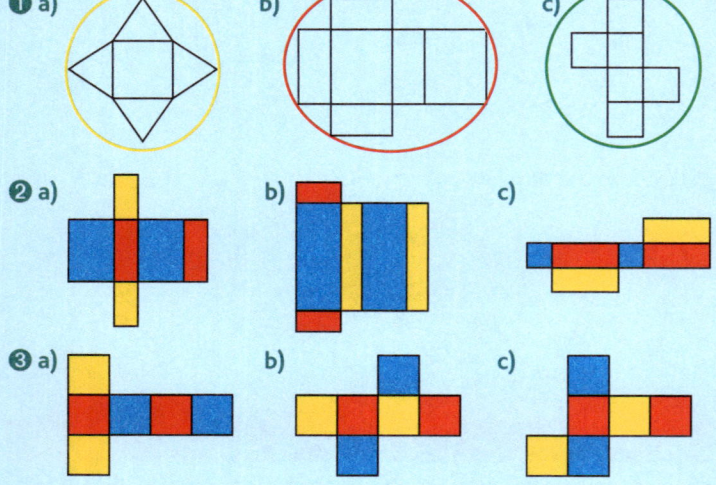

Leçon 48 (page 51)
❶ E2, S5, O5, N8, E5, N2, E2, S4, E2
❷ Le trésor est au pied du palmier le plus au nord.

Leçon 49 (page 52)
❶ a) ↑ ↑ ↑ ↱ ↑ ↑
b) ↑ ↑ ↑ ↑ ↱ ↑
❷ a) ↑ ↑ ↱ ↑ ↑ ↰ ↑
b) ↑ ↰ ↑ ↱ ↑ ↑ ↰ ↑

Leçon 50 (page 53)
❶ a) 10 dm ; b) 10 cm ; c) 10 mm ; d) 1 000 mm ; e) 1 000 m ;
f) 100 m ; g) 10 m ; h) 100 dam ; i) 10 hm
❷ a) 3 500 m ; b) 105 cm ; c) 12 km ; d) 2 102 m ; e) 220 cm ; f) 40 m ;
g) 540 mm ; h) 409 mm ; i) 5 m
❸ a) 270 cm + 80 cm = 350 cm = 3 m 50 cm
b) 3 700 m + 600 m = 4 300 m = 4 km 300 m
❹ Pierre : 1 m 40 cm. Romain : 1 m 10 cm. Julie : 1 m 15 cm.

Leçon 51 (page 54)
❶ Le périmètre de la figure E mesure 14 cm.
❷ Le périmètre du carré F mesure 20 cm.
❸ Le périmètre du jardin mesure 24 m.
❹ Le périmètre de la table mesure 5 m 60 cm.

Leçon 52 (page 55)
❶    cL mg
❷ a) 1 m = 1 000 mm   d) 1 g = 1 000 mg   g) 1 L = 1 000 mL
b) 1 hm = 100 m   e) 1 hg = 100 g   h) 1 hL = 100 L
c) 1 km = 1 000 m   f) 1 kg = 1 000 g   i) 1 L = 100 cL
❸

Non, 1 dag est plus grand que 1 dg.

Leçon 53 (page 56)
❶ a) 100 cm ; 50 cm ; 25 cm ; 75 cm
b) 1 000 g ; 500 g ; 250 g ; 750 g
c) 1 000 m ; 500 m ; 250 m ; 100 m
d) 100 cL ; 50 cL ; 25 cL ; 75 cL
❷
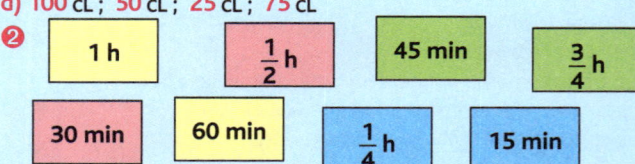
❸ Lucie : 200 m ; Emma : 250 m. Léa a parcouru la plus longue distance.

CORRIGÉS

Leçon 54 (page 57)

❶

❷ L'angle B est plus grand que l'angle A.
❸ D ; B ; A, C.
❹ *Cet exercice doit être vérifié par un adulte.*

Leçon 55 (page 58)

❶ Oui, elles ont la même aire.
❷ c < a < b
❸ Figure orange : 15 u. Figure verte : 14 u.
La figure orange a la plus grande aire.
❹ Figure bleue : 12,5 u. Figure jaune : 13 u.
La figure jaune a la plus grande aire.

Leçon 56 (page 59)

❶ 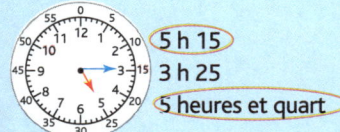 5 h 15
3 h 25
5 heures et quart

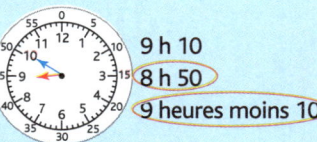 9 h 10
8 h 50
9 heures moins 10

❷

Heures du matin	5 h 10	11 h 35	9 h 55	10 h 20	4 h 25
Heures de l'après-midi ou du soir	17 h 10	23 h 35	21 h 55	22 h 20	16 h 25

❸

Je suis arrivée à 10 heures et quart.

Et moi, je suis arrivé à 11 heures moins le quart.

Elle est arrivée 30 minutes avant l'autre enfant.

Leçon 57 (page 60)

❶ a) 120 s ; b) 120 min ; c) 3 min ; d) 90 s ; e) 90 min ; f) = 24 h
❷ a) 45 s + 50 s = 95 s = 1 min 35 s ;
b) 50 min + 25 min = 75 min = 1 h 15 min
❸ L'équipe a couru le relais en 7 min 10 s.
❹ Théo a mis 2 min 20 s.

Leçon 58 (page 61)

❶ a) Nous sommes au 21ᵉ siècle.
b) Il a été construit au 20ᵉ siècle.
❷ *Cet exercice doit être corrigé par un adulte.*
❸ a) Les vacances de Noël durent 2 semaines.
b) Les grandes vacances durent 2 mois.
c) Le week-end dure 2 jours.
d) Le grand-père de Léa a 78 ans.
e) Les Romains ont vécu il y a 2 millénaires.
f) Ce vieux chêne a 3 siècles.
❹ a) 1 an = 12 mois
b) 1 an = 365 jours
c) 1 siècle = 100 ans
d) 1 millénaire = 1 000 ans
❺ Le procès de Jeanne d'Arc : 1431 → 15ᵉ siècle
Le sacre de Napoléon : 1804 → 19ᵉ siècle

Leçon 59 (page 62)

❶ a) 3 min = 180 s
b) 5 h = 300 min
c) 180 s = 3 min
d) 1 min 30 s = 90 s
e) 1 h 30 min = 90 min
f) 90 min = 1 h 30 min
❷ 20 h – 17 h = 3 h
Antoine a regardé la télé pendant 3 heures.
❸ 21 h + 2 h 30 = 23 h 30
Il est 23 h 30.
❹ De 20 h à minuit, il y a 4 heures. De minuit à 14 h, il y a 14 heures.
4 h + 14 h = 18 h
Le voyage de Louise a duré 18 heures.

Leçon 60 (page 63)

❶ Il doit revenir le 15 octobre.
❷ 1621 + 74 = 1695. Jean de La Fontaine est mort en 1695.
❸ 3 semaines = 21 jours. Nadia est rentrée de vacances le 5 août.
❹ Du 25 avril 1214 au 25 avril 1270, il y a : 1270 – 1214 = 56 ans.
Du 25 avril 1270 au 25 août 1270, il y a 4 mois.
Il a vécu 56 ans et 4 mois.

La référence de la langue française

Le Bled

Le Bled
900 dictées
Primaire
Du CE1 au CM2

- **Toutes les règles** expliquées en détail
- **900 dictées** de niveaux progressifs
- **Les conjugaisons** à connaître

@ Avec des **dictées audio** à télécharger gratuitement

hachette

Pour **réviser** les **règles** d'**orthographe** à travers des **dictées** de difficulté progressive, classées par niveau, du CE1 au CM2

INCLUS

60 leçons contenant chacune :

+ une règle d'orthographe illustrée par de nombreux exemples ;
+ des dictées de difficulté progressive, pour les niveaux CE1 à CM2.

Et aussi :

+ des dictées « vers la 6ᵉ » pour préparer l'entrée au collège.

hachette
ÉDUCATION

Leçon 30 — Problèmes : rechercher des données

NOMBRES ET CALCULS

Pour l'adulte
Un problème ne se limite pas toujours à un énoncé écrit. Les données utiles pour répondre à la question posée peuvent figurer dans un dessin, un schéma, un tableau, un horaire... La recherche des informations utiles est l'objectif essentiel de cette leçon.

Problème :
Léa commande 3 boissons, 2 sandwichs et 1 pizza. Combien va-t-elle payer ?
Les prix ne sont pas dans l'énoncé, ils sont sur l'affiche.
Il faut multiplier les prix par la quantité commandée.

→ 3 boissons : 3 × 1 € = 3 €.
→ 2 sandwichs : 2 × 4 € = 8 €.
→ 1 pizza : 3 €.
→ Léa va payer : 3 € + 8 € + 3 € = 14 €.

Buvette
Boisson 1 €
Pizza 3 €
Frite 1,5 €
Sandwich 4 €

1 Madame Lagarde va au musée avec deux enfants. Combien va-t-elle payer ?

Ouvert tous les jours
10 h – 12 h / 14 h – 18 h
Tarif adulte : 6 €
Enfant : demi-tarif

Prix d'une entrée adulte : .... €
Prix d'une entrée enfant : .... €
.... = ...
Madame Lagarde paiera .... €.

2 Théo arrive à la gare. Il regarde l'horloge, puis le tableau des heures de départ des trains.

Départs
7 h 55
8 h 20
8 h 45
9 h 10

Quelle heure est-il ?

Il est ....

À quelle heure a lieu le prochain départ ?

Le prochain départ est à ....

3 Combien l'entreprise va-t-elle payer ?

Une entreprise expédie à ses clients : 2 lettres de 15 g, 3 lettres de 45 g, 2 lettres de 200 g. Voici les tarifs :

Poids	de 0 g à 20 g	de 21 g à 100 g	de 101 g à 250 g	de 251 g à 500 g
Tarif	1 € 5 c	2 € 10 c	4 € 20 c	6 € 30 c

Tarif d'envoi d'une lettre :
– de 15 g : .... ;
– de 45 g : .... ;
– de 200 g : ....
.... = ...
L'entreprise va payer .... €.

4 Un groupe d'amis va au restaurant. Quatre personnes prennent le menu tradition, cinq personnes le menu gourmet. À combien s'élève la note du restaurant ?

....
....
....
....

Menu du jour : 15 €
Menu tradition : 21 €
Menu gourmet : 28 €
Boissons comprises

La note du restaurant s'élève à .... €.

Leçon 31 : Problèmes : choisir les étapes de résolution

NOMBRES ET CALCULS

Pour l'adulte
L'enfant doit prévoir les calculs à effectuer afin de pouvoir répondre à la question posée.
Pour l'aider, amenez-le à découvrir les étapes nécessaires : « Pour trouver la réponse, que dois-tu connaître d'abord ? »

Problème :
Manon a 100 €. Elle achète une nappe à 38 € et 6 serviettes à 8 € chacune. Combien lui reste-t-il ?

→ Pour trouver combien il lui reste, il faut savoir combien Manon a dépensé.
Prix des serviettes : 6 × 8 € = 48 €.   Prix de la nappe : 38 €.
Elle a dépensé : 48 € + 38 € = 86 €.

→ On peut maintenant calculer combien il lui reste.
Il lui reste : 100 € − 86 € = 14 €.

1 Ce camion peut transporter 3 000 kg. Quelle masse de matériaux peut-on encore charger ? Pour répondre à cette question, numérote dans l'ordre les calculs que tu vas effectuer.

☐ Calcul de la masse déjà chargée sur le camion.
☐ Calcul de la masse de matériaux que l'on peut encore charger.
☐ Calcul de la masse des 6 sacs de ciment.

Effectue les calculs dans l'ordre que tu as choisi.

.... = ...
.... = ...
.... = ...

On peut encore charger .... kg sur le camion.

2 Trois cases de cette facture ont été effacées. Numérote dans l'ordre les calculs que tu vas effectuer pour compléter la facture.

☐ Calcul du prix des 6 ballons
☐ Calcul du prix d'une raquette
☐ Calcul du prix des 4 raquettes

Nombre	Marchandises	Prix unitaire	À payer
6	Ballons	10 €	.... €
4	Raquettes	.... €	.... €
	Total		140 €

Effectue les calculs, puis complète la facture.

....
....

3 Le cartable vide de Maxime pèse 2 kg. Il y range 3 livres de 600 g chacun et une trousse. Maintenant le cartable plein pèse 4 kg 100 g. Quelle est la masse de la trousse ?

....
....

Leçon 32 — Interpréter et compléter un graphique en bâtons

NOMBRES ET CALCULS

Pour l'adulte
L'enfant rencontre de nombreux graphiques en bâtons dans ses livres de sciences ou de géographie. Il doit donc être capable de les interpréter correctement.

→ **L'intérêt d'un graphique**
Ce **graphique** permet de constater, d'un simple coup d'œil que le nombre d'élèves qui mangent au restaurant scolaire augmente tout au long de la semaine.

→ **Interprétation du graphique**
- Le lundi, 20 élèves mangent au restaurant scolaire.
- 40 est le nombre d'élèves qui mangent au restaurant scolaire le mardi.

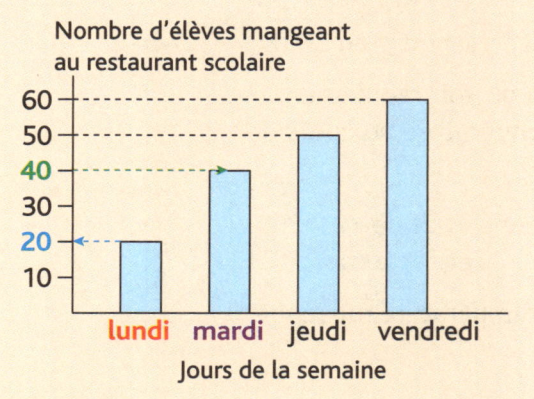

---

1 Voici le nombre d'habitants de quelques départements français.

Parmi ces départements :

a) Lequel est le plus peuplé ?
....

b) Lequel est le moins peuplé ?
....

c) Lesquels ont plus de 300 000 habitants et moins de 500 000 habitants ?
....

d) Le Luxembourg est un pays de 563 000 habitants.
Quels départements ont une population supérieure à celle du Luxembourg ?
....

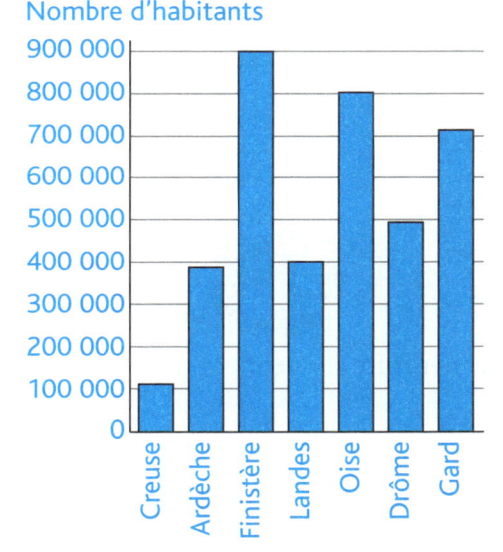

Le département le plus peuplé est celui qui a le plus d'habitants.

---

2 Voici la longueur de quelques fleuves français. Complète le graphique en dessinant des bâtons et en les coloriant.

Fleuve	Loire	Rhône	Seine	Garonne
Longueur (en km)	1 010	810	780	650

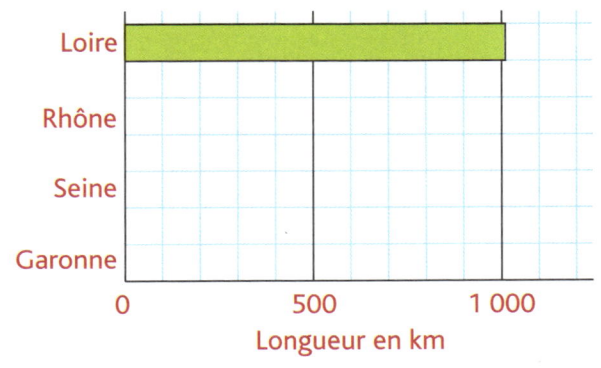

Leçon 33 — Graphique, coordonnées d'un point

NOMBRES ET CALCULS

Pour l'adulte

Une autre façon de représenter des données est de tracer un graphique en courbe. Aidez l'enfant à repérer les coordonnées d'un point et à tracer la courbe au fur et à mesure.

Voici ci-contre le graphique des températures moyennes mensuelles à Strasbourg en 2012.

→ Ce graphique permet de voir rapidement comment varie la température au cours de l'année.

→ La température moyenne était de **22 °C** durant les mois de **juillet** et **septembre**.

→ Au mois de **mars**, la température moyenne a été de **14 °C**.

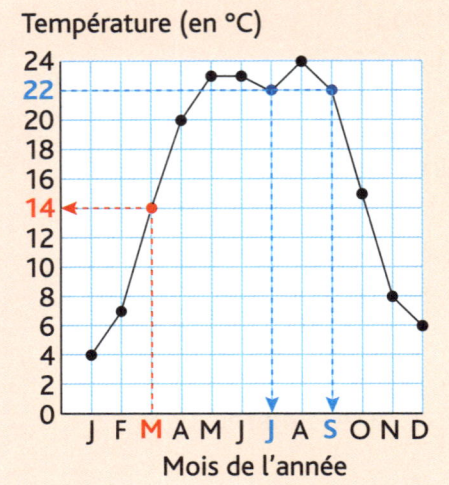

1. Complète le tableau à l'aide du graphique.

Mois	J	F	M	A	M	J	J	A	S	O	N	D
Températures (°C)	9	12	......	18	17	......	19	......	20	17	......	......

Ce sont les températures moyennes mensuelles relevées à Brest en 2012.

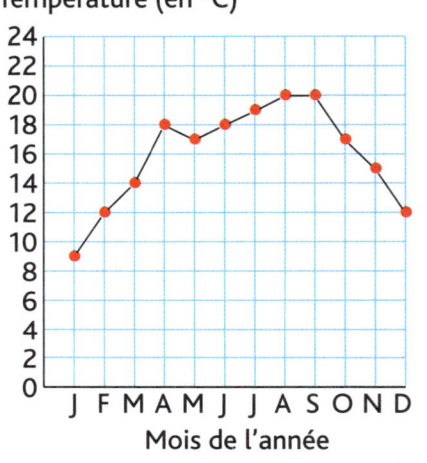

Quels sont les mois où la température moyenne a dépassé 18 °C ?

....

2. Louis a rempli sa piscine. Il a noté, dans un tableau, la hauteur d'eau en cm, toutes les heures. Complète le graphique à l'aide du tableau.

Heures	1	2	3	4	5	6	7	8
Hauteur d'eau (cm)	15	30	45	....	75	90	105	120

Quelle est la hauteur d'eau au bout de 4 h ?

....

Le remplissage de la piscine est régulier : sur ton graphique, tu dois obtenir une droite.

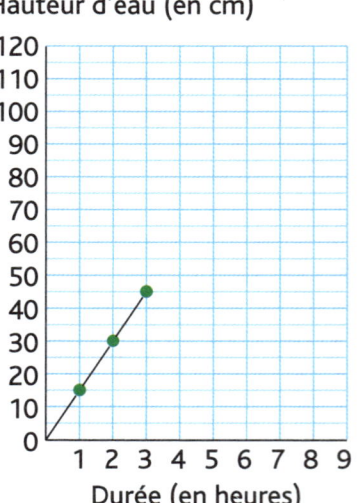

Leçon 34 — Approche de la proportionnalité

NOMBRES ET CALCULS

Pour l'adulte

Dans une situation de proportionnalité, la décomposition des nombres en sommes simples ou l'utilisation d'expressions comme « fois plus » ou « fois moins » peut faciliter la résolution des problèmes.

La boulangère a dressé un tableau qui donne le prix à payer selon le nombre de gâteaux achetés.

Nombre de gâteaux	2	3	4	5	8
Prix (en €)	8	12	16	20	32

On remarque :

→ le prix de **2 gâteaux**, c'est la **moitié** du prix de **4 gâteaux**.
La **moitié** de **16 €**, c'est **8 €**.

→ **8 gâteaux**, c'est **2 fois 4 gâteaux**.
8 gâteaux coûtent : 2 × **16 €** = **32 €**.

→ **8 gâteaux**, c'est aussi : 5 gâteaux + 3 gâteaux
On calcule : 20 € + 12 € = **32 €**.

1. Léa a acheté 6 glaces. Elle paie 18 €.

a) Damien achète 3 glaces. Combien doit-il payer ?
.... = ... Il doit payer ....

b) Une grand-mère achète une glace pour chacun de ses 12 petits-enfants. Combien doit-elle payer ?
.... = ... Elle doit payer ....

c) La maman de Tom achète 9 glaces. Combien doit-elle payer ?
.... = ... Elle doit payer ....

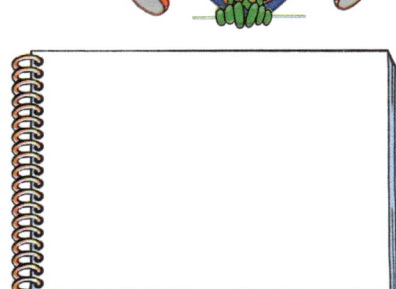

Toutes les glaces coûtent le même prix.

2. Complète ces fiches en calculant les quantités d'ingrédients nécessaires pour une pâte à crêpes.

Pâte à crêpes pour 8 personnes
- 300 g de farine
- 2 verres de lait
- 4 œufs
- 50 g de beurre

Pour 4 personnes, il faut :
- .... g de farine
- .... verre de lait
- .... œufs
- .... g de beurre

Pour 12 personnes, il faut :
- .... g de farine
- .... verres de lait
- .... œufs
- .... g de beurre

4, c'est la moitié de 8, et 12, c'est 8 + 4 ou 3 × 4.

Leçon 35 — Droites perpendiculaires

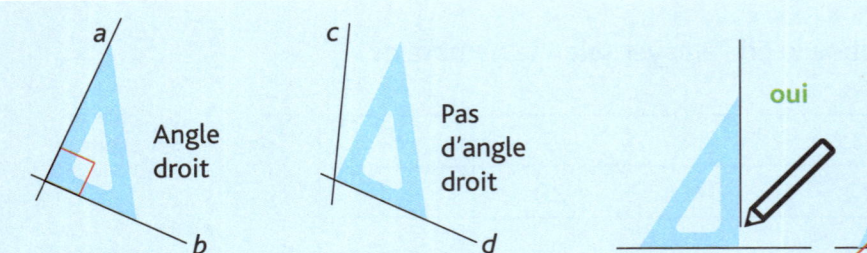

Les droites *a* et *b* sont perpendiculaires.
Les droites *c* et *d* ne sont pas perpendiculaires.

Pour reconnaître si deux droites sont perpendiculaires, je positionne l'équerre sur l'une des droites puis je vérifie si l'autre droite est bien alignée avec l'autre côté de l'équerre.
Deux droites perpendiculaires se coupent à angle droit.

Pour tracer des droites perpendiculaires, je place l'équerre sur la première droite, puis je trace la droite perpendiculaire.

ESPACE ET GÉOMÉTRIE

Pour l'adulte
L'utilisation de l'équerre est le point délicat de cette leçon.
Avant les exercices de cette page, proposez à l'enfant de vérifier la présence d'angles droits dans une pièce de la maison (fenêtre, table, carrelage…).

1 Repasse en rouge les droites perpendiculaires.

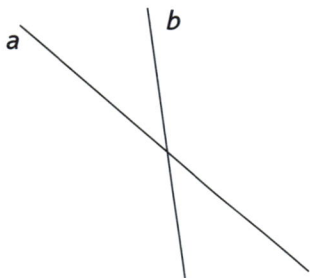 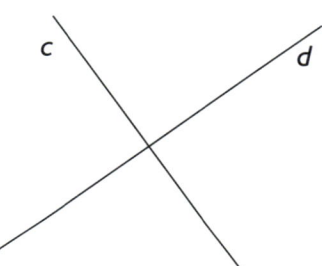 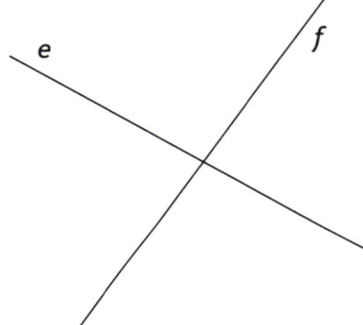

Les droites .... et .... sont perpendiculaires.

2 Repasse en rouge les droites perpendiculaires à la droite verte. Marque l'angle droit.

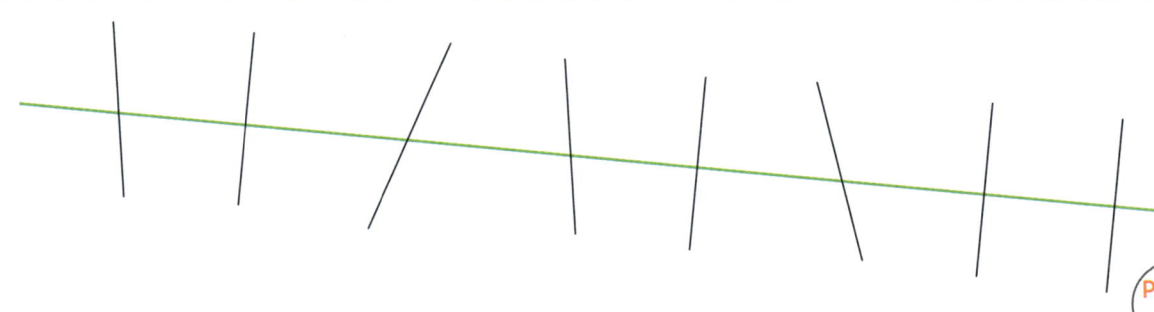

3 Trace 4 droites perpendiculaires à la droite bleue.

Place bien ton équerre.

Leçon 36 — Droites parallèles

ESPACE ET GÉOMÉTRIE

Pour l'adulte
Utilisez des situations de la vie courante pour faire observer des parallèles : les lignes horizontales ou verticales du cahier, les barreaux d'une échelle... Attention à ce que l'enfant ne confonde pas les mots « parallèle » et « perpendiculaire ».

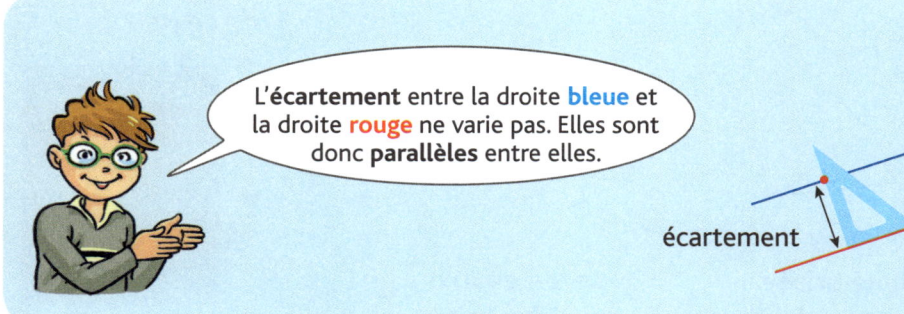

L'**écartement** entre la droite **bleue** et la droite **rouge** ne varie pas. Elles sont donc **parallèles** entre elles.

1 Repasse de la même couleur les droites parallèles.

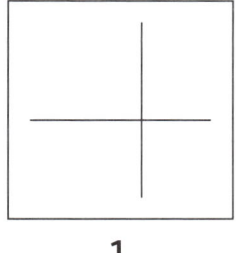 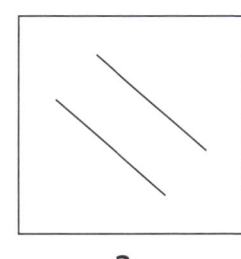 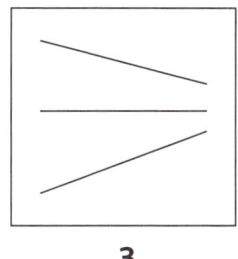 

1 2 3 4

Utilise la méthode de Théo.

2 Observe les figures.

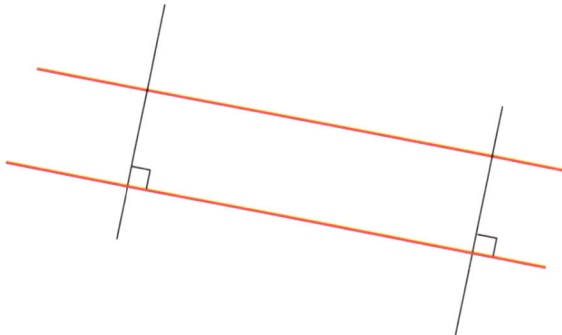 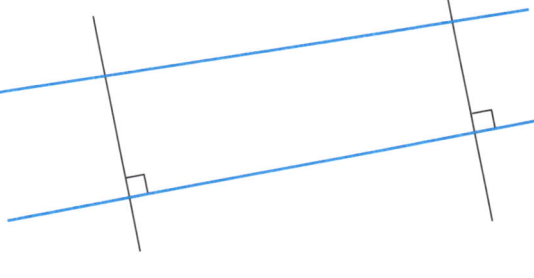

L'écartement entre les droites rouges est-il toujours le même ? ☐ Oui ☐ Non

Les droites rouges sont-elles parallèles ?
☐ Oui ☐ Non

L'écartement entre les droites bleues est-il toujours le même ? ☐ Oui ☐ Non

Les droites bleues sont-elles parallèles ?
☐ Oui ☐ Non

3 Trace deux autres fils parallèles à celui où sont posées les hirondelles.

Leçon 37 : Polygones

ESPACE ET GÉOMÉTRIE

Pour l'adulte
Les élèves de CM1 doivent connaître la définition géométrique d'un polygone.
Ils doivent aussi savoir décrire un polygone en utilisant les mots « côté » et « sommet ».

Une ligne brisée ouverte n'est pas un polygone.

Une **ligne brisée fermée** est un **polygone**.

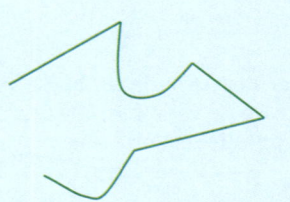
Ceci n'est pas une ligne brisée.

côté — sommet

Dans un polygone, il y a autant de sommets que de côtés.
Ce polygone a **6 sommets** et **6 côtés**.

---

1 Entoure les figures qui sont des polygones.

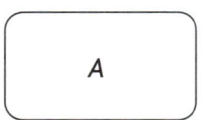 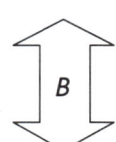 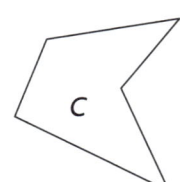  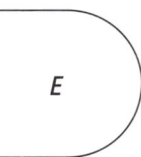 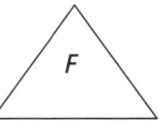
A — B — C — D — E — F

---

2 Complète chaque figure pour faire apparaitre un polygone possédant :

a) 4 sommets.

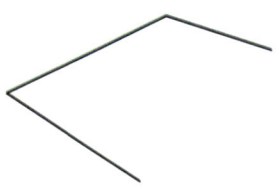

b) 5 sommets.

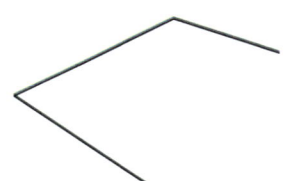

c) 6 sommets.

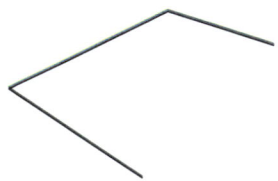

---

3 Pour chaque polygone, indique le nombre de sommets et le nombre de côtés.

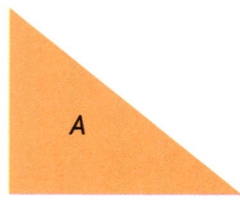 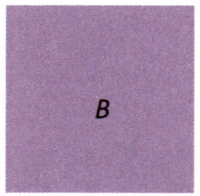  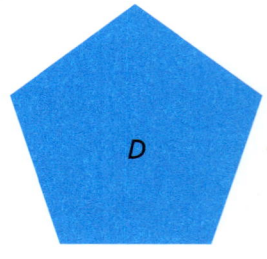
A — B — C — D

..... sommets   ..... sommets   ..... sommets   ..... sommets
..... côtés   ..... côtés   ..... côtés   ..... côtés

Leçon 38 — Les triangles

➜ Un triangle **rectangle** possède **un angle droit**.
Le **plus grand côté** est le côté opposé à l'angle droit.

➜ Un triangle **isocèle** possède
2 côtés de même longueur.

➜ Un triangle **équilatéral** possède
3 côtés de même longueur.

ESPACE ET GÉOMÉTRIE

Pour l'adulte

Pour identifier les propriétés des triangles rectangle, isocèle et équilatéral, l'enfant utilise son compas pour comparer les longueurs des côtés et son équerre pour repérer les angles droits.

Un triangle rectangle peut aussi être isocèle.

1 Colorie de la même couleur les côtés de même longueur.

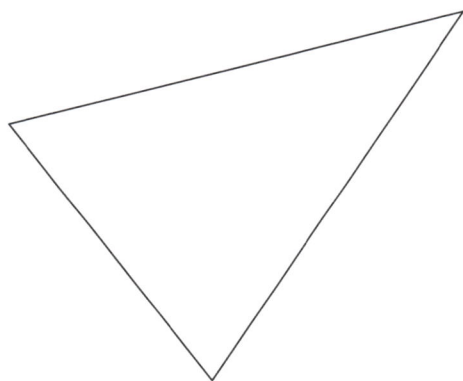

Complète.
Ce triangle est ....

2 Les côtés du triangle **vert** ont-ils tous la même longueur ?

☐ Oui   ☐ Non

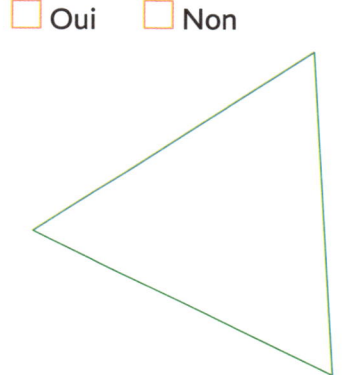

Utilise un compas pour comparer les longueurs des côtés.

Complète.
Ce triangle est ....

3 Les triangles de Mélissa.

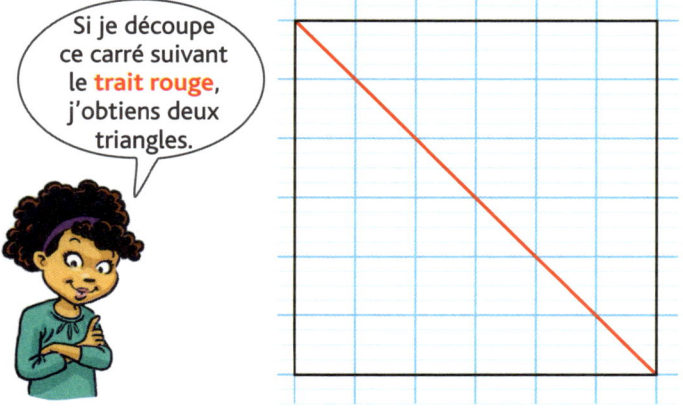
Si je découpe ce carré suivant le **trait rouge**, j'obtiens deux triangles.

Les deux triangles sont des triangles
.... et ....

4 Termine ce triangle rectangle isocèle.

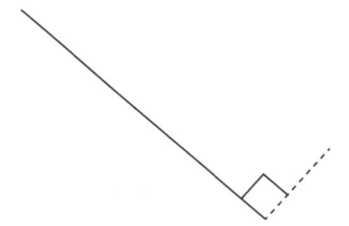

Leçon 39 — Propriétés des quadrilatères

ESPACE ET GÉOMÉTRIE

Pour l'adulte
L'enfant doit connaître les principales propriétés géométriques du carré, du rectangle et du losange. Elles lui permettent de reconnaître ces figures à l'aide des instruments de géométrie. Ces propriétés seront aussi utiles pour les construire.

→ Un **losange** possède :
– 4 côtés de même longueur.

→ Un **carré** possède :
– 4 angles droits ;
– 4 côtés de même longueur.

→ Un **rectangle** possède :
– 4 angles droits ;
– 2 paires de côtés opposés de même longueur.

1 Je possède 4 côtés de même longueur et aucun angle droit. Qui suis-je ?

Je suis un ....

2 Je possède 4 côtés et 4 angles droits. Qui suis-je ?

Je suis un .... ou un ....

3 Marque les milieux des côtés de ce rectangle. Joins les milieux des côtés qui se touchent. Quelle figure obtiens-tu ?

J'obtiens un ....

4 Marque les milieux des côtés de ce losange. Joins les milieux des côtés qui se touchent. Quelle figure obtiens-tu ?

J'obtiens un ....

5 Observe ce rectangle rose, réponds aux questions, puis complète la phrase.

Les côtés **orange** ont-ils toujours le même écartement ?   ☐ Oui   ☐ Non
Les côtés **orange** sont-ils parallèles ?   ☐ Oui   ☐ Non
Les côtés **verts** ont-ils toujours le même écartement ?   ☐ Oui   ☐ Non
Les côtés **verts** sont-ils parallèles ?   ☐ Oui   ☐ Non
Les côtés opposés d'un rectangle ont-ils la même longueur ?   ☐ Oui   ☐ Non

Leçon 40 — Construire un carré, un rectangle, un losange

ESPACE ET GÉOMÉTRIE

Pour l'adulte

L'enfant doit savoir construire un carré ou un rectangle sur papier uni et un losange sur papier quadrillé. Pour réussir ces constructions, il doit connaître les propriétés de ces figures.

➜ **Construire un rectangle de 4 cm sur 6 cm sur papier uni**

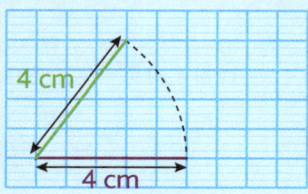 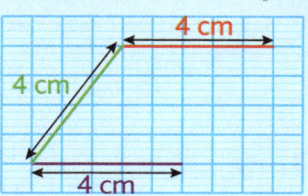 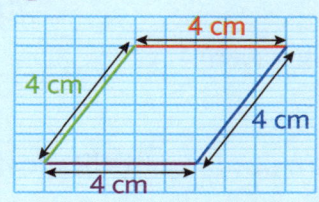

On constate que le quatrième angle est un angle droit et que les **côtés opposés** ont la **même longueur**.

➜ **Construire un losange de 4 cm de côté sur quadrillage**

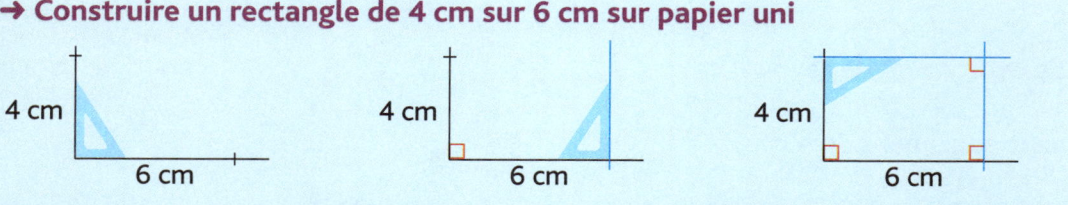

On constate que le côté bleu a aussi une longueur de 4 cm.

1 Termine ce carré. On a tracé son premier côté.

2 Sur le quadrillage ci-dessous, on a tracé le premier côté d'un losange. Termine-le.

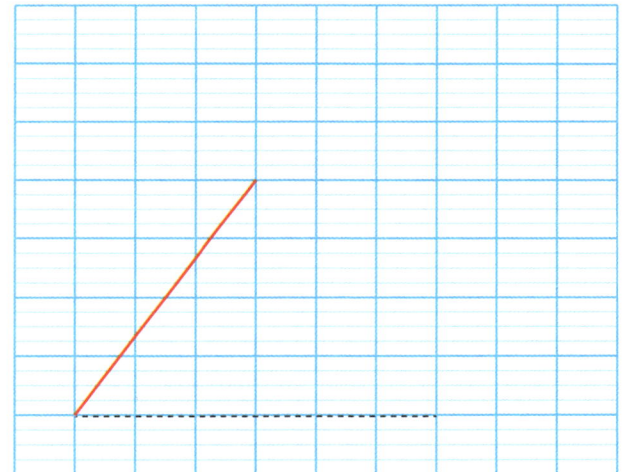

3 Construis un rectangle de 9 cm de long et 3 cm de large

Pense à utiliser ton équerre, ta règle graduée et ton compas.

Leçon 41 : Le cercle

ESPACE ET GÉOMÉTRIE

Pour l'adulte
Le maniement du compas nécessite une aide de votre part.
Attention ! L'enfant peut confondre diamètre et rayon.

→ **Tracer un cercle**
Pour tracer un cercle de **centre A** et de **rayon 4 cm** :
• on place un point *A* ;
• on prend un écartement du compas de 4 cm ;
• on place la pointe du compas en *A* ;
• on trace le cercle sans modifier l'écartement du compas.

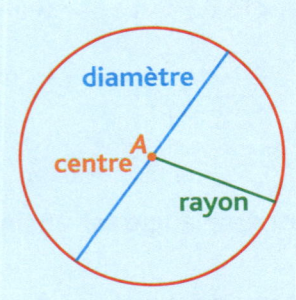

→ **Vocabulaire**
Un cercle est défini par son **centre** et son **rayon** ou par son **centre** et son **diamètre** (qui est égal au double du rayon).

1 Reproduis cette figure sur le quadrillage de droite.

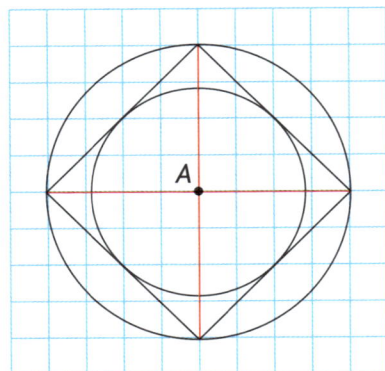
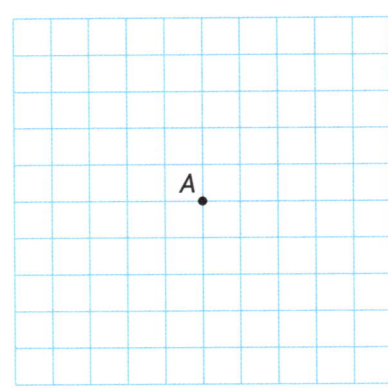

2 Dessine la figure que décrit le programme de construction ci-dessous.

– Trace un segment *AB* de 8 cm.
– Trouve le milieu de ce segment et nomme-le *O*.
– Trace un cercle de centre *O* et de diamètre 8 cm.
– Trace un cercle de centre *A* et de 4 cm de rayon.
– Trace un cercle de centre *B* et de 4 cm de rayon.

Ne confonds pas rayon et diamètre. Le diamètre est égal à 2 fois le rayon.

A

Leçon 42 — Programmes de construction

ESPACE ET GÉOMÉTRIE

Pour l'adulte

Avant de lire un programme de construction, vérifiez que l'enfant connaît le vocabulaire de géométrie : côté, milieu, sommet, perpendiculaire, parallèle... et les propriétés des figures. C'est seulement lorsque le vocabulaire est acquis qu'il peut choisir un programme ou réaliser une construction.

➜ **Pour tracer cette figure, Théo a réalisé ce programme :**
Trace un carré.
Marque les milieux des côtés.
Trace les segments qui joignent les milieux des côtés opposés.

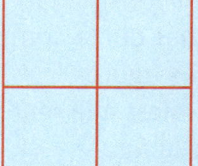
Figure de Théo

➜ **Pour cette figure, Léa a réalisé ce programme :**
Trace un carré.
Trace les segments qui joignent les sommets opposés.

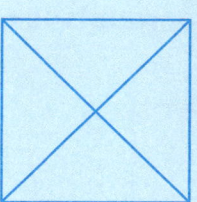
Figure de Léa

1 Coche le programme de construction qui permet de tracer précisément cette figure.

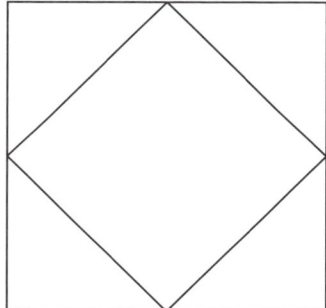

☐ Dessine un carré.
Trace les segments qui joignent les milieux des côtés du carré qui se touchent.

☐ Dessine un carré.
Dessine un losange dans le carré.

2 Dessine la figure que décrit le programme de construction ci-dessous :

– Trace **en rouge** la droite qui passe par les points A et B.
– Trace **en noir** une droite perpendiculaire à la droite AB qui passe par le point A.
– Trace **en vert** la parallèle à la droite AB qui passe par le point C.
– Trace **en bleu** la droite qui passe par les points B et C.
– Tu obtiens un quadrilatère qui s'appelle un trapèze rectangle. Marque ses 2 angles droits.

× A   × B

× C

Trace la figure à main levée avant de la tracer avec les outils de la géométrie.

Leçon 43 — Reproduire une figure

ESPACE ET GÉOMÉTRIE

Pour l'adulte
L'enfant doit être attentif à l'ordre des tracés, ainsi qu'aux propriétés des figures géométriques. Il doit réaliser des tracés soignés à l'aide des instruments.

➔ **Pour reproduire une figure,** on doit :
– analyser la figure ;
– reconnaître les figures géométriques qui la composent ;
– bien connaître les propriétés de ces figures ;
– rassembler les instruments nécessaires à la reproduction ;
– trouver l'ordre de construction de la figure.

1 Observe bien cette figure. Reproduis-la et colorie-la à ton goût. Le carré a 7 cm de côté.

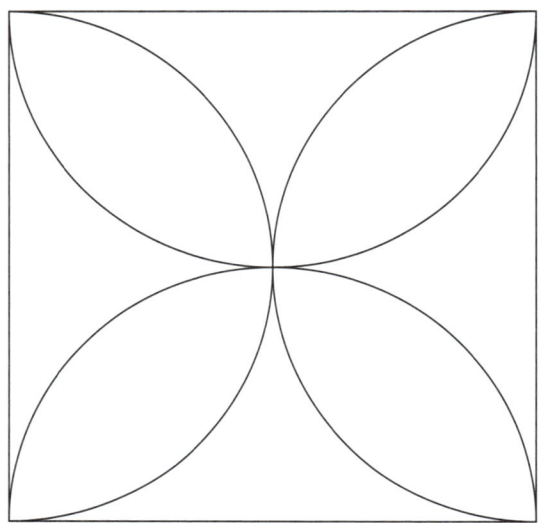

2 Observe cette figure. Reproduis-la et colorie-la à ton goût.

4 cm

8 cm

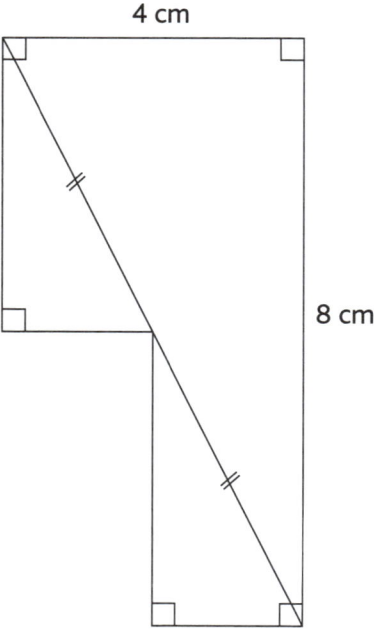

Leçon 44 — Identifier un axe de symétrie

ESPACE ET GÉOMÉTRIE

Pour l'adulte

L'enfant doit savoir identifier un axe de symétrie d'une figure. Il peut le découvrir par pliage de la figure ou en imaginant le pliage. Il peut aussi utiliser un calque : une figure décalquée et retournée qui se superpose à la figure initiale possède au moins un axe de symétrie qui reste à identifier.

Si tu plies suivant l'axe de symétrie, **les deux parties de la figure se superposent exactement**.

La lettre A possède **un axe de symétrie vertical**.
La lettre E possède **un axe de symétrie horizontal**.
La lettre X possède **deux axes de symétrie**.

1 Observe les figures *A* et *B*. Entoure celle qui possède un axe de symétrie.

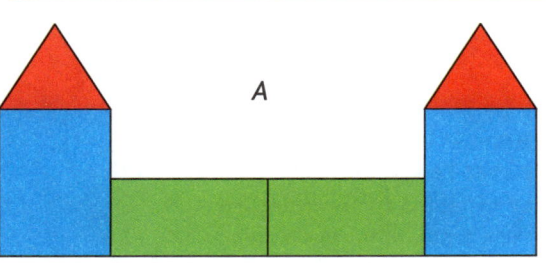 

2 Reproduis chaque figure sur le quadrillage de ton cahier, puis découpe-la. Cherche par pliage les axes de symétrie de chaque figure.

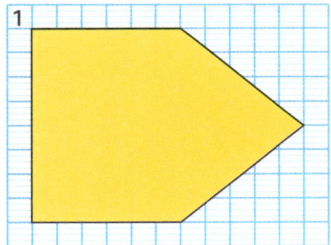 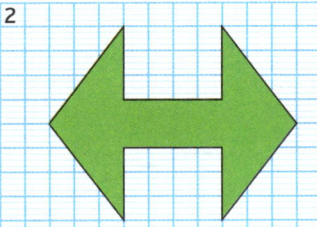 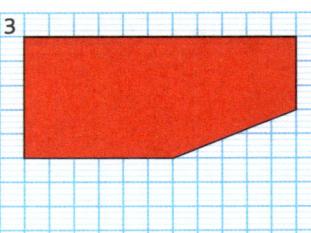 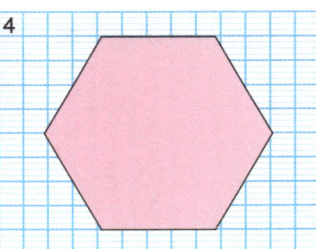

Quelle figure ne possède pas d'axe de symétrie ? ....

Quelle figure possède un seul axe de symétrie ? ....

Quelles figures possèdent plusieurs axes de symétrie ? ....
Trace les axes de symétrie sur les figures ci-dessus.

3 Découpe un carré de 6 carreaux de côté. Par pliage, trouve ses axes de symétrie et trace-les sur le carré ci-contre.

Leçon 45 — Compléter ou tracer une figure par symétrie

ESPACE ET GÉOMÉTRIE

Pour l'adulte
L'enfant doit savoir compléter ou dessiner le symétrique d'une figure par pliage et piquage ou en utilisant le papier calque. Aidez-le à suivre pas à pas les explications de ces deux techniques délicates.

➜ Pour compléter une figure par symétrie, Léa utilise la technique du piquage. Procède comme elle.

 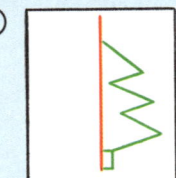 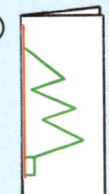 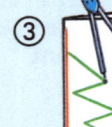 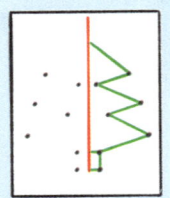 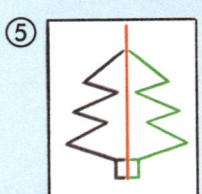

① Dessine une figure semblable à celle-ci sur une feuille unie.
② Plie la feuille en suivant le **trait rouge** qui est l'**axe de symétrie**.
③ Pique les sommets avec la pointe d'un compas.
④ Déplie la feuille. Repasse les points du piquage au crayon.
⑤ Joins les points à la règle pour compléter la figure.

➜ Ibrahim utilise le papier calque pour compléter le dessin du papillon. Fais comme lui.

 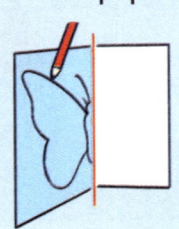 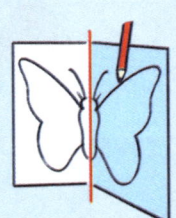

Pose le calque sur le dessin et repasse dessus en appuyant bien sur ton crayon. Retourne le calque en plaçant le dessin contre l'axe de symétrie (le trait rouge) pour qu'il coïncide avec l'autre partie du papillon. Repasse sur le calque en appuyant bien afin de laisser une trace sur la feuille de papier.

1 Dessine un sapin avec un axe de symétrie en suivant la méthode de Léa dans le cours. Puis découpe et colle ton sapin ci-dessous.

2 Utilise le papier calque pour compléter le papillon.

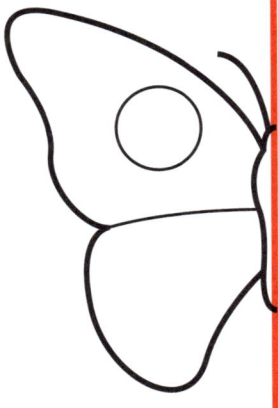

Leçon 46 — Cube, parallélépipède rectangle

ESPACE ET GÉOMÉTRIE

Pour l'adulte
L'enfant doit identifier, les cubes et les parallélépipèdes rectangles (ou pavés droits). Il doit savoir les décrire en utilisant le vocabulaire : « face », « arête », « sommet » et connaître la forme de leurs faces.

→ Un **cube** possède :
– 8 **sommets** ;
– 12 **arêtes de même longueur** ;
– 6 **faces carrées superposables**.

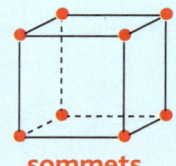 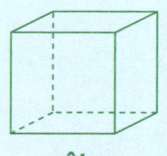 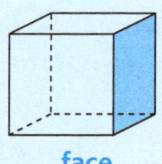
sommets — arêtes — face

→ Un **parallélépipède rectangle** (ou **pavé droit**) possède :
– 8 **sommets** ;
– 12 **arêtes** ;
– 6 **faces**.
Ses **faces** sont des **rectangles** ou **des carrés**.
Ses **faces opposées** sont **superposables**.

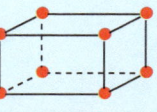  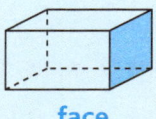
sommets — arêtes — face

Apprends ce vocabulaire.

1 Complète.

a) Mes six faces sont des carrés.
Je suis ....

b) Mes six faces sont des rectangles.
Je suis ....

c) Deux de mes six faces sont des carrés, les autres sont des rectangles.
Je suis ....

2 Observe ce dé, puis complète.

a) Ce dé a la forme d'un ....

b) Combien vois-tu de faces ? .... ;
de sommets ? .... ;   d'arêtes ? ....

c) Combien de faces sont cachées ? .... ;
de sommets sont cachés ? .... ;
d'arêtes sont cachées ? ....

3 Ce solide est un assemblage de 3 cubes.
Entoure les deux empreintes qu'il peut laisser sur de la pâte à modeler.

 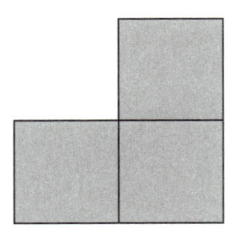 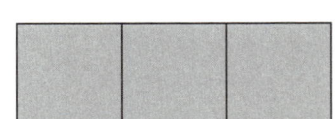 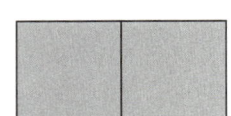

Leçon 47 — Solides et patrons

ESPACE ET GÉOMÉTRIE

Pour l'adulte
Des déconstructions différentes de boîtes et les reconstructions de celles-ci aideront l'enfant dans cette tâche.

➜ **Qu'est-ce qu'un patron ?**
Lorsqu'on ouvre une boîte en forme de cube, on obtient un patron du cube.

  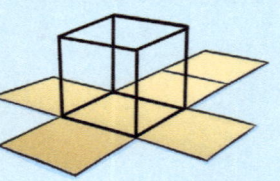

➜ **Propriétés**
• Les patrons du **cube** ont **6 faces** qui sont toutes des **carrés**.
• Les patrons du **pavé droit** ont **6 faces** qui sont des **rectangles** (2 d'entre elles peuvent être des carrés). Les faces opposées sont identiques.

1 Entoure en **rouge** le patron du pavé droit, en **vert** le patron du cube et en **jaune** le patron de la pyramide.

a) 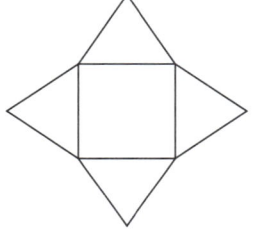   b) 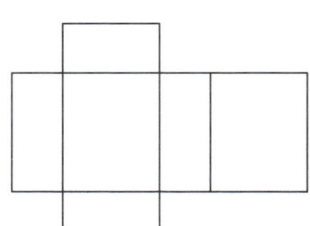   c)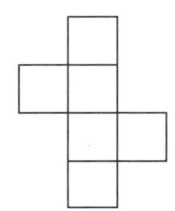

2 Observe trois patrons de pavés droits. Sur chacun d'eux, colorie d'une même couleur les faces opposées.

a) 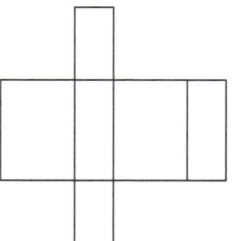   b) 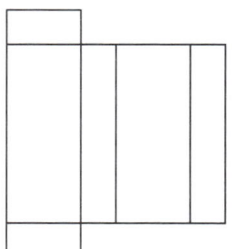   c)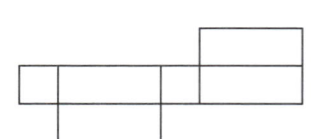

3 Observe trois patrons d'un cube. Sur chacun d'eux, colorie d'une même couleur les faces opposées.

a) 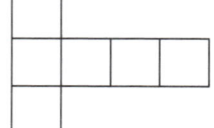   b)    c)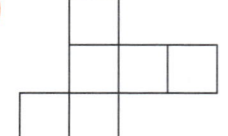

Leçon 48 — Décrire et exécuter des déplacements

ESPACE ET GÉOMÉTRIE

Pour l'adulte

Dans cette leçon, l'enfant apprend à décoder et à coder des déplacements sur les lignes d'un quadrillage en utilisant les points cardinaux.

Pour aller du drapeau D au drapeau A, Théo a effectué le chemin fléché.
Il a codé son déplacement :
O5, S2, O2, N9, E2

- **O5** → déplacement de **5** cases vers l'**Ouest**
- **S2** → déplacement de **2** cases vers le **Sud**
- **O2** → déplacement de **2** cases vers l'**Ouest**
- **N9** → déplacement de **9** cases vers le **Nord**
- **E2** → déplacement de **2** cases vers l'**Est**

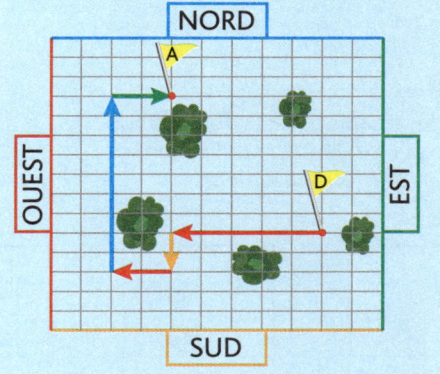

1 Code le chemin suivi par Léa de D à A.

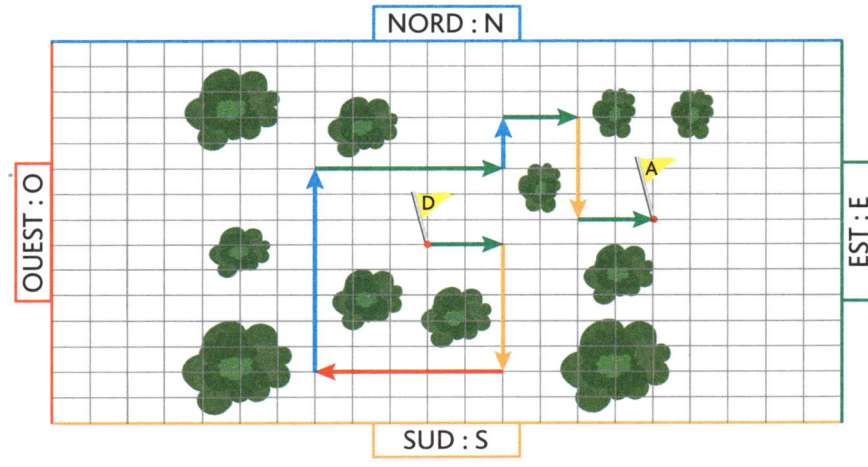

2 Trace le chemin qui te conduira à l'arbre au trésor. Pars du point rouge et suis le code secret.

| E2 | S2 | O4 | S3 | O4 | N7 | E3 |

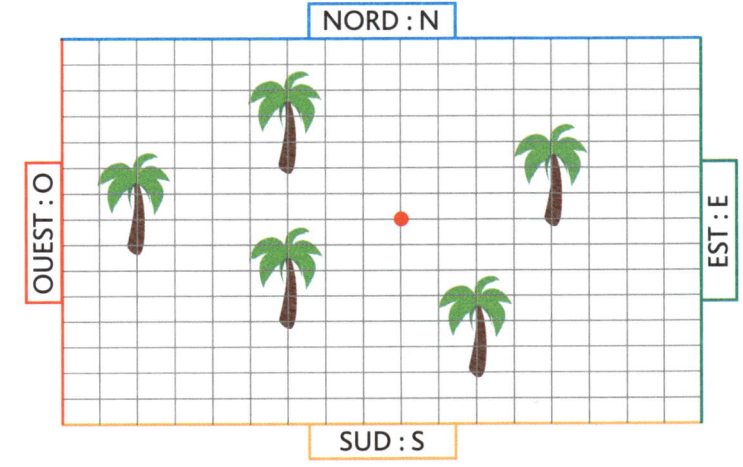

51

Leçon 49 — Programmer un robot

ESPACE ET GÉOMÉTRIE

Pour l'adulte

Assurez-vous que l'enfant reconnaît sa main droite et sa main gauche. Précisez que la flèche ↑ indique un déplacement qui peut s'effectuer vers le haut, vers le bas, vers la droite ou vers la gauche en fonction de l'orientation du robot.

Observe le code qui permet de programmer Coccibot, le robot coccinelle.

Code
- ↑ Avance d'une case.
- ↰ Pivote à gauche.
- ↱ Pivote à droite.

Je code le déplacement de Coccibot pour qu'il se déplace sur le chemin gris jusqu'à la fleur.

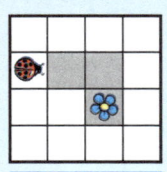
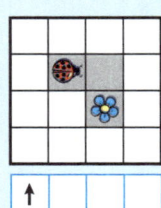
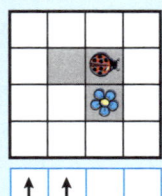
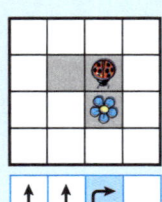
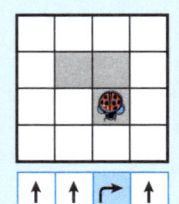

Attention aux cases bleues ! Quand tu pivotes, tu tournes sur toi-même sans changer de case.

1 Code le déplacement de Coccibot jusqu'à la fleur.

a)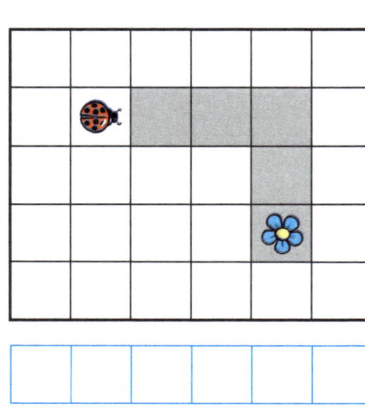

b)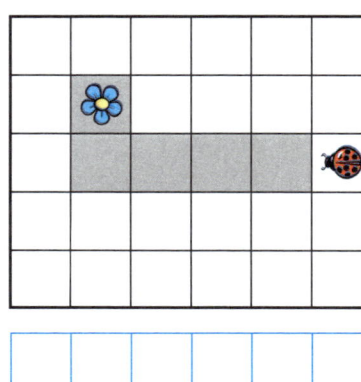

2 Code le déplacement de Coccibot jusqu'à la fleur.

a)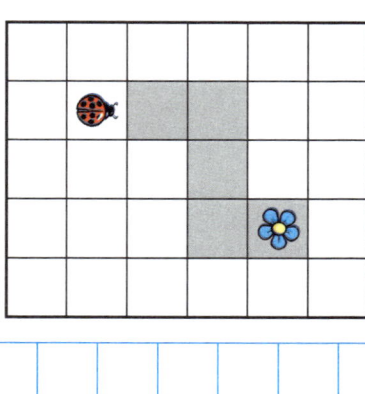

b)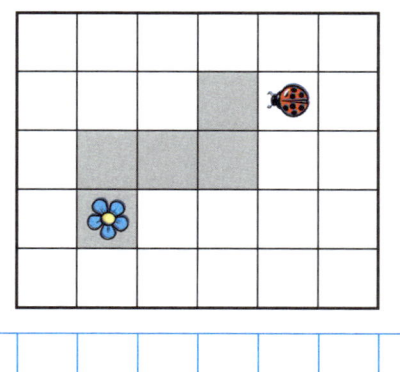

Leçon 50 — Mesure de longueurs

GRANDEURS ET MESURES

Pour l'adulte

L'enfant doit :
– connaître et utiliser les unités du système métrique pour les longueurs et les relations qui lient ces unités ;
– savoir effectuer des opérations sur les longueurs.

Pour convertir 12 hm 4 dam en mètres

→ **Première méthode :** on utilise le tableau de conversion

Multiples			Unité	Sous-multiples		
kilomètre	hectomètre	décamètre	mètre	décimètre	centimètre	millimètre
km	hm	dam	m	dm	cm	mm
1	2	4	**0**			

• On écrit 12 en plaçant 2 dans la colonne des hm et 1 dans la colonne qui précède, celle des km.
• On place 4 dans la colonne des dam.
• On **complète avec un zéro** pour arriver jusqu'à la colonne des **mètres**.
On lit : **12 hm 4 dam = 1 240 m.**
Rappel : 1 km = 1 000 m ; 1 m = 100 cm = 1 000 mm.

→ **Seconde méthode :** on calcule
1 hm = 100 m ; 12 hm = 12 × 100 m = 1 200 m.
1 dam = 10 m ; 4 dam = 4 × 10 m = 40 m.
            12 hm 4 dam = 1 200 m + 40 m = **1 240 m.**

Dans le tableau de conversion, ne place qu'un seul chiffre par colonne !

① Complète.

a) 1 m = ... dm
b) 1 dm = ... cm
c) 1 cm = ... mm
d) 1 m = ... mm
e) 1 km = ... m
f) 1 hm = ... m
g) 1 dam = ... m
h) 1 km = ... dam
i) 1 km = ... hm

Pour ajouter, retrancher ou comparer des longueurs, il faut les exprimer avec la même unité.

② Convertis.

a) 3 km 5 hm = ... m
b) 1 m 5 cm = ... cm
c) 12 000 m = ... km
d) 21 hm 2 m = ... m
e) 2 m 2 dm = ... cm
f) 4 000 cm = ... m
g) 5 dm 4 cm = ... mm
h) 4 dm 9 mm = ... mm
i) 5 000 mm = ... m

③ Calcule et convertis.

a) 2 m 70 cm + 80 cm = ... cm + 80 cm
   2 m 70 cm + 80 cm = ... cm
   2 m 70 cm + 80 cm = ... m .... cm

b) 3 km 700 m + 6 hm = ... m + ... m
   3 km 700 m + 6 hm = ... m
   3 km 700 m + 6 hm = ... km .... m

④ Écris la taille de chaque enfant en m et cm.

Pierre mesure 1 400 mm.
Romain mesure 30 cm de moins que Pierre.
Julie mesure 50 mm de plus que Romain.

Pierre : .... m .... cm
Romain : .... m .... cm
Julie : .... m .... cm

Leçon 51 — Calculer un périmètre

GRANDEURS ET MESURES

Pour l'adulte
L'enfant doit additionner les mesures de longueur en les exprimant dans la même unité.

➜ Le **périmètre** d'une figure est la **longueur du tour** de cette figure.

➜ **Pour calculer le périmètre de la figure ci-dessous,** on additionne les **mesures des longueurs des côtés**.

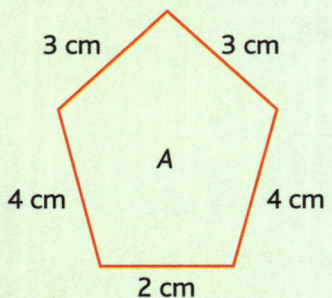

Calcul du périmètre de la figure A :
3 cm + 3 cm + 4 cm + 2 cm + 4 cm = 16 cm.
Le périmètre de A est égal à 16 cm.

---

1 Calcule le périmètre de la figure E.

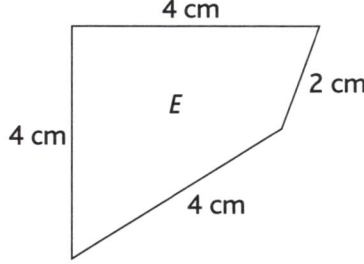

.... = ...

Le périmètre de la figure E mesure .... cm.

2 Calcule le périmètre du carré F.

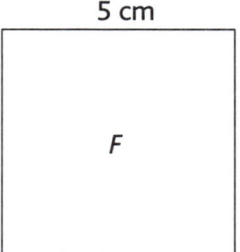

.... = ...

Le périmètre de la figure F mesure .... cm.

---

3 Le jardin de Léa est un carré de 6 m de côté.
Calcule son périmètre.

.... = ...

Le périmètre du jardin mesure .... m.

4 Une table mesure 2 m de longueur et 80 cm de largeur.
Calcule son périmètre.

Pour calculer, n'oublie pas d'exprimer les mesures dans la même unité.

.... = ...

Le périmètre de la table mesure .... m .... cm.

Leçon 52 — Les mesures : longueurs, masses et contenances

GRANDEURS ET MESURES

Pour l'adulte
L'enfant doit être capable d'exprimer des mesures de longueur, de contenance et de masse dans différentes unités. Lui faire observer la valeur des différents préfixes :
kilo- (mille),
hecto- (cent),
déca- (dix),
déci- (dixième),
centi- (centième),
milli- (millième).

Voici les différentes unités de mesure :

Longueurs

Multiples			Unité	Sous-multiples		
kilomètre	hecto-mètre	décamètre	mètre	décimètre	centi-mètre	millimètre
km	hm	dam	m	dm	cm	mm
			1	0	0	
		1	0			

1 m = 100 cm
1 dam = 10 m

Masses

Multiples			Unité	Sous-multiples		
kilo-gramme	hecto-gramme	déca-gramme	gramme	déci-gramme	centi-gramme	milli-gramme
kg	hg	dag	g	dg	cg	mg
			1	0	0	
		1	0			

1 g = 100 cg
1 dag = 10 g

Contenances

Multiples			Unité	Sous-multiples		
kilolitre	hectolitre	décalitre	litre	décilitre	centilitre	millilitre
kL	hL	daL	L	dL	cL	mL
			1	0	0	
		1	0			

1 L = 100 cL
1 daL = 10 L

Le litre (L) est la contenance d'un cube de 10 cm d'arêtes.
1 L d'eau pèse 1 kg.

1 Entoure en **vert** les unités de **contenance**, en **bleu** les unités de **masse** et en **orange** les unités de **longueur**.

hg   km   dg   cL   hL   mg   mm

2 Complète.

a) 1 m = ... mm
b) 1 hm = ... m
c) 1 km = 1 000 ......
d) 1 g = ... mg
e) 1 hg = ... g
f) 1 kg = 1 000 ......
g) 1 L = ... mL
h) 1 hL = ... L
i) 1 L = 100 ......

3 Entoure l'enfant qui a raison.

1 dag est plus petit que 1 dg.

Non, 1 dag est plus grand que 1 dg.

Moi, je crois que c'est pareil !

Leçon 53 — Fractions et mesure

GRANDEURS ET MESURES

Pour l'adulte
L'enfant doit savoir exprimer des mesures à l'aide de fractions simples.
N'hésitez pas à rendre ces fractions concrètes en utilisant divers récipients pour les fractions du litre, le cadran d'une montre pour les fractions de l'heure...

→ Cette bouteille contient $\frac{1}{2}$ L de grenadine, c'est-à-dire **50 cL**.
1 L = 100 cL ; la moitié de 100 cL, c'est 50 cL.

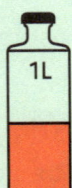

→ Cette bouteille contient $\frac{1}{4}$ L de jus d'orange, c'est-à-dire **25 cL**.
1 L = 100 cL ; le quart de 100 cL, c'est 25 cL.

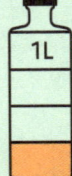

→ Cette bouteille contient $\frac{3}{4}$ L de menthe, c'est-à-dire **75 cL**.
1 L = 100 cL ; le quart de 100 cL, c'est 25 cL.
25 cL × 3 = 75 cL ; les trois quarts de 100 cL, c'est 75 cL.

$\frac{1}{2}$ km = 1 000 m ÷ 2 = 500 m
$\frac{1}{4}$ km = 1 000 m ÷ 4 = 250 m

1 Complète.

a) 1 m = ... cm $\frac{1}{2}$ m = ... cm $\frac{1}{4}$ m = ... cm $\frac{3}{4}$ m = ... cm

b) 1 kg = ... g $\frac{1}{2}$ kg = ... g $\frac{1}{4}$ kg = ... g $\frac{3}{4}$ kg = ... g

c) 1 km = ... m $\frac{1}{2}$ km = ... m $\frac{1}{4}$ km = ... m $\frac{1}{10}$ km = ... m

d) 1 L = ... cL $\frac{1}{2}$ L = ... cL $\frac{1}{4}$ L = ... cL $\frac{3}{4}$ L = ... cL

2 Colorie de la même couleur les étiquettes qui indiquent la même durée.

| 1 h | $\frac{1}{2}$ h | 45 min | $\frac{3}{4}$ h |

| 30 min | 60 min | $\frac{1}{4}$ h | 15 min |

$\frac{1}{2}$ heure, c'est la moitié d'une heure, donc la moitié de 60 minutes.

3 Qui a parcouru la plus longue distance ?

Léa : « J'ai parcouru 300 m. »
Lucie : « Et moi $\frac{2}{10}$ km. »
Emma : « Et moi $\frac{1}{4}$ de km. »

L'enfant qui a parcouru la plus longue distance est : ....

Pour calculer un demi, il faut diviser par 2.
Pour calculer un quart, il faut diviser par 4.
Pour calculer un dixième, il faut diviser par 10.

Leçon 54 — Comparer et tracer des angles

GRANDEURS ET MESURES

Pour l'adulte

Pour faire comprendre à l'enfant la notion d'angle, utilisez l'écartement des branches d'un compas, d'une paire de ciseaux… Montrez-lui que les branches d'une paire de petits ciseaux et celles d'une paire de grands ciseaux peuvent être ouvertes du même angle bien que leurs branches ne soient pas de la même longueur.

➜ **Nommer un angle**

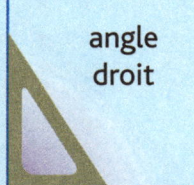
angle droit

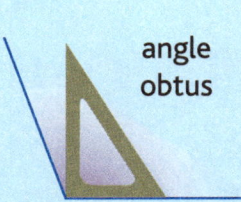
angle obtus

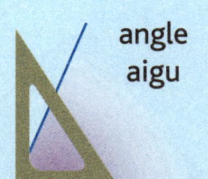
angle aigu

- Un **angle obtus** est plus grand que l'**angle droit**.
- Un **angle aigu** est plus petit que l'**angle droit**.

➜ **Comparer et tracer un angle**

Pour **comparer** et **tracer** des angles, on utilise **un calque**.

1 Trace en rouge un angle obtus et en bleu un angle aigu. Un côté est déjà tracé.

2 Observe et complète.

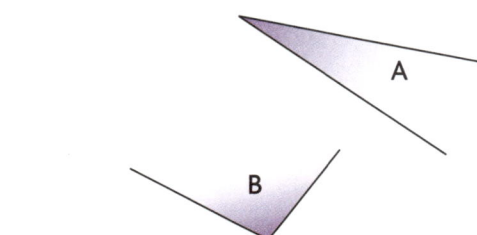

L'angle .... est plus grand que l'angle ....

3 Range ces angles par ordre croissant.

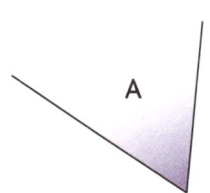 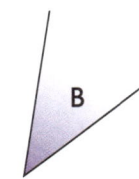  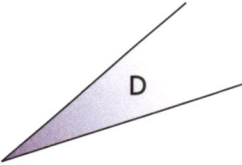

.... ; .... ; .... ; ....

4 Reproduis cet angle. Le sommet est déjà placé.

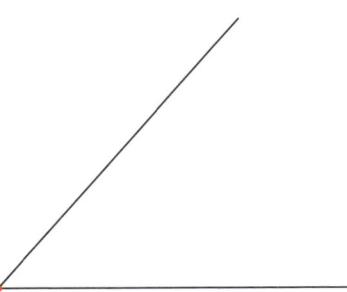

Utilise un calque pour reporter l'angle. N'oublie pas de retourner le calque.

Leçon 55 — Comparer et mesurer des aires

GRANDEURS ET MESURES

Pour l'adulte

L'enfant doit comprendre que des figures de formes différentes peuvent avoir la même aire. Pour l'aider, découpez des figures, puis reconstituez-les de différentes façons. La mesure d'une aire par comptage de l'unité (un carreau) demande de l'attention. Vous devrez tout particulièrement veiller au comptage des demi-carreaux.

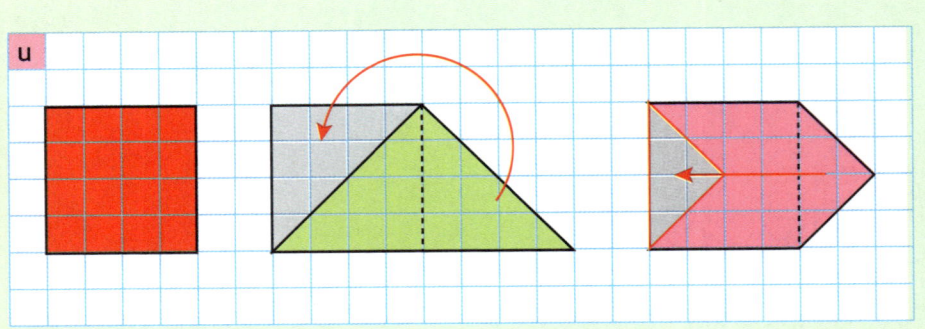

→ Les figures rouge, verte et rose ont la même aire, car, en les découpant, on peut retrouver le même carré.

→ L'aire du carré rouge est égale à 16 u.

→ Toutes ces figures ont donc une aire égale à 16 u.

→ L'aire de la figure bleue est égale à l'aire de 3 carreaux et 2 demi-carreaux, soit 4 carreaux.

2 demi-carreaux c'est 1 carreau.

1 Les deux figures ont-elles la même aire ? Coche la bonne réponse.

☐ Oui, elles ont la même aire.
☐ Non, elles n'ont pas la même aire.

2 Range ces figures par aire croissante.

.... < .... < ....

3 Mesure l'aire de chaque figure et entoure la figure qui a la plus grande aire.

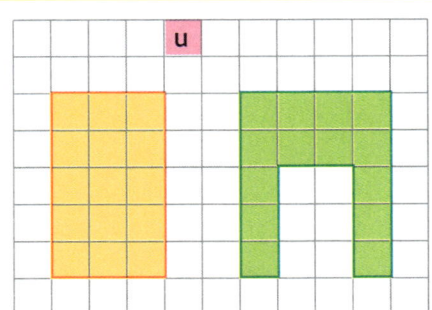

Aire de la figure orange : .... u
Aire de la figure verte : .... u

4 Mesure l'aire de chaque figure et entoure la figure qui a la plus grande aire.

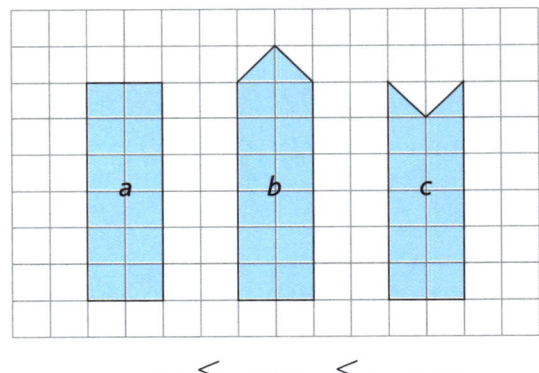

Aire de la figure bleue : .... u
Aire de la figure jaune : .... u

Leçon 56 — Lire l'heure

→ Il est 7 h 55 ou « 8 h moins 5 », car dans 5 minutes il sera 8 h.

→ Il est 9 h 40 ou « 10 h moins 20 », car dans 20 minutes il sera 10 h.

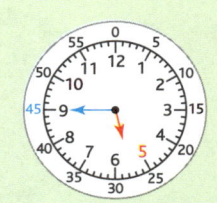

→ Il est 5 h 45 ou « 6 h moins le quart », car dans un quart d'heure il sera 6 h.

GRANDEURS ET MESURES

Pour l'adulte

Cette leçon porte sur la lecture de l'heure qui devra être acquise en fin de CM1. C'est un apprentissage qui se poursuit dans la vie de tous les jours. N'hésitez pas à solliciter l'enfant aussi souvent que possible.

1 Entoure les écritures qui indiquent la même heure que le cadran.

5 h 15
3 h 25
5 heures et quart

9 h 10
8 h 50
9 heures moins 10

Quand on passe de l'heure du matin à l'heure du soir, on ajoute 12 heures.

2 Écris l'heure du matin et l'heure de l'après-midi (ou du soir) indiquées par chaque cadran.

Heures du matin	.... h	.... h	.... h	.... h	.... h ....
Heures de l'après-midi ou du soir	.... h	.... h	.... h	.... h	.... h ....

3 **La course**

Léa et Théo arrivent d'une balade en VTT.
Entoure l'enfant qui est arrivé le premier.
Combien de temps est-il arrivé avant l'autre enfant ?

Je suis arrivée à 10 heures et quart.

Et moi, je suis arrivé à 11 heures moins le quart.

Leçon 57 — Unités de durées (1) : heure, minute, seconde

GRANDEURS ET MESURES

Pour l'adulte
L'enfant a souvent des difficultés à distinguer :
– l'heure qu'il est : « Il est 10 h 10 » ;
– la durée d'une action : « Le film dure 1 h 35 min. »
Utilisez des moments de la vie courante pour lui permettre de bien faire la différence entre ces notions.

→ Une pendule indique **l'heure**.
Il est ici 10 h 10.

→ Un chronomètre indique **la durée** d'une action.
Pour faire le tour du stade, j'ai mis 3 min 14 s.

→ Pour **ajouter** des durées, il faut les convertir **dans la même unité**.

1 heure = 60 minutes.   1 minute = 60 secondes.

1 Convertis.

a) 2 min = ... s
b) 2 h = ... min
c) 180 s = ... min
d) 1 min 30 s = ... s
e) 1 h 30 min = ... min
f) 1 jour = ... h

2 Calcule et convertis.

a) 45 s + 50 s = ... s
   45 s + 50 s = ... min .... s

b) 50 min + 25 min = ... min
   50 min + 25 min = ... h .... min

N'oublie pas :
1 min = 60 s
1 h = 60 min.

3 Les trois coureurs de l'école Jules Vallès qui ont participé au relais interscolaire ont réalisé les temps suivants :
Abdel : 2 min 25 s ; Théo : 2 min 15 s ; José : 2 min 30 s.
Quel est le temps total réalisé par cette équipe ?

L'équipe a couru le relais en .... min .... s.

4 Paul et Théo ont effectué un tour de stade. Calcule le temps de Théo.

Paul : J'ai mis 1 min 30 s.
Théo : Et moi, 50 s de plus.

Temps de Théo : .... min .... s.

Leçon 58 — Unités de durées (2) : jour, semaine, mois, siècle

GRANDEURS ET MESURES

Pour l'adulte

Tout au long de l'année, l'enfant consolide l'utilisation des unités de mesure de durées et leurs relations : siècle/années ; semaine/jours ; heure/minutes ; minute/secondes. Utilisez les occasions que procure la vie courante (un anniversaire, la durée des vacances…) pour lui faire convertir des durées.

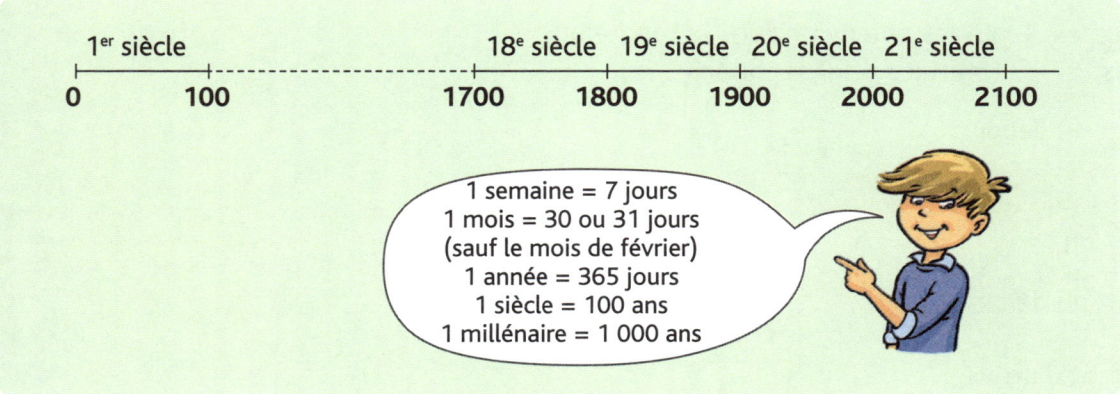

1 semaine = 7 jours
1 mois = 30 ou 31 jours
(sauf le mois de février)
1 année = 365 jours
1 siècle = 100 ans
1 millénaire = 1 000 ans

1 Réponds aux questions.

a) En quel siècle sommes-nous ?
Nous sommes au ……… siècle.

b) En quel siècle le centre Pompidou a-t-il été construit ?
Il a été construit au ……… siècle.

Le centre Pompidou a été ouvert le 31 janvier 1977.

2 Quel âge as-tu ? Réponds aux questions.

a) Exprime ton âge en mois. ……………………………………………………………………………………………
b) À combien de jours environ cela correspond-il ? ……………………………………………………………

3 Recopie et complète avec les mots : *jours, semaines, mois, ans, siècles, millénaires.*

a) Les vacances de Noël durent 2 ……………… .
b) Les grandes vacances durent 2 ……………… .
c) Le week-end dure 2 ……………… .
d) Le grand-père de Léa a 78 ……………… .
e) Les Romains ont vécu il y a 2 ……………… .
f) Ce vieux chêne a 3 ……………… .

4 Complète.

a) 1 an = ……… mois
b) 1 an = ………… jours
c) 1 siècle = ………… ans
d) 1 millénaire = ………… ans

5 En quel siècle ces événements se sont-ils déroulés ?

Le procès de Jeanne d'Arc : 1431
……… siècle

Le sacre de Napoléon : 1804
……… siècle

Leçon 59 — Calculer une durée ou déterminer un instant (1)

GRANDEURS ET MESURES

Pour l'adulte
L'enfant doit résoudre des problèmes de deux types : le calcul d'une durée (connaissant deux instants) et le calcul d'un instant (connaissant un instant et une durée). Dans cette leçon, il est amené à effectuer des conversions sur les heures, les minutes et les secondes.

→ Pour ajouter des durées, il faut les **convertir dans la même unité**.
1 heure = 60 minutes   1 minute = 60 secondes

→ On connaît l'instant du départ et celui d'arrivée :
on peut calculer la durée du voyage.
Durée : 15 h − 10 h = 5 h.

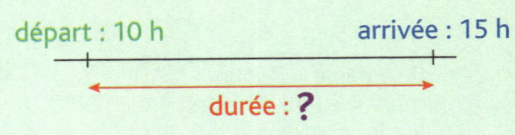

→ On connaît l'instant du départ et la durée du voyage :
on peut calculer l'instant d'arrivée.
Arrivée : 10 h + 5 h = 15 h.

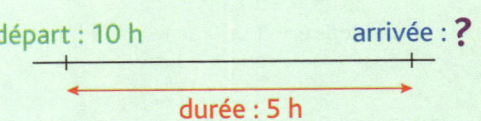

→ On connaît l'instant d'arrivée et la durée du voyage :
on peut calculer l'instant du départ.
Départ : 15 h − 5 h = 10 h.

1 Convertis.

a) 3 min = ... s

b) 5 h = ... min

c) 180 s = ... min

d) 1 min 30 s = ... s

e) 1 h 30 min = ... min

f) 90 min = ... h .... min

2 Antoine a regardé la télé de 17 h à 20 h. Combien de temps a-t-il passé devant la télé ?

....

Antoine a regardé la télé pendant .... heures.

3 Un spectacle commence à 21 h. Il se termine 2 h 30 plus tard. Quelle heure est-il alors ?

....

Il est .... h ....

4 Louise a pris le bateau le samedi à 20 h. Elle est arrivée le dimanche à 14 h sur son lieu de vacances. Combien d'heures a duré son voyage ?

....
....

Le voyage de Louise a duré .... heures.

Calcule d'abord la durée du voyage jusqu'à minuit. Ajoute ensuite la durée du voyage après minuit.

Leçon 60 — Calculer une durée ou déterminer un instant (2)

GRANDEURS ET MESURES

Pour l'adulte
L'enfant doit résoudre des problèmes de deux types : le calcul d'une durée (connaissant deux instants) et le calcul d'un instant (connaissant un instant et une durée). Dans cette leçon, les unités utilisées sont le jour, la semaine, le mois et le siècle.

Les vacances
début : 12 février
fin : 26 février
durée : ?

On connaît la date du début et celle de la fin.
→ On peut calculer la durée.
26 − 12 = 14
durée : **14 jours**

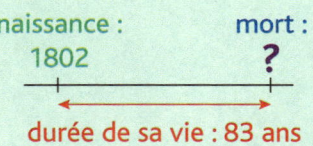

Victor Hugo
naissance : 1802
mort : ?
durée de sa vie : 83 ans

On connaît la date du début et la durée.
→ On peut calculer la date de la fin.
1802 + 83 = 1885
année de sa mort : **1885**

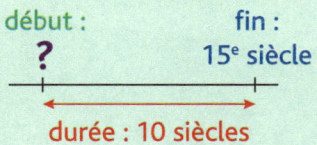

Le Moyen Âge
début : ?
fin : 15ᵉ siècle
durée : 10 siècles

On connaît la durée et la date de la fin.
→ On peut calculer la date du début.
15 − 10 = 5
début : **5ᵉ siècle**

---

1 Un navigateur fait une croisière de 2 mois. Il part le 16 août. À quelle date doit-il revenir ?

....

Il doit revenir le ....

2 L'auteur de fables Jean de La Fontaine est né en 1621. Il est mort 74 ans plus tard. En quelle année est-il mort ?

....

Jean de La Fontaine est mort en ....

3 Nadia est partie en vacances le 15 juillet. Son séjour a duré 3 semaines. Quel jour est-elle rentrée de vacances ?

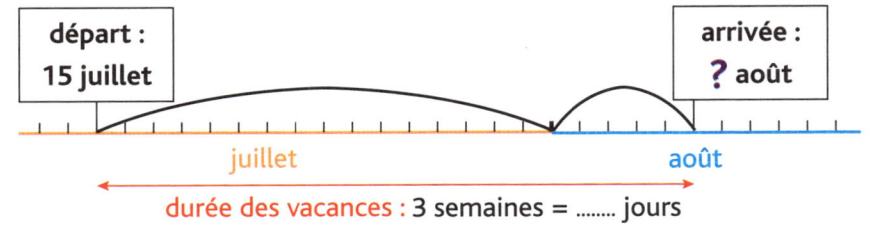

Il faut connaître le nombre de jours du mois de juillet.

départ : 15 juillet
arrivée : ? août
juillet — août
durée des vacances : 3 semaines = ... jours

....

Nadia est rentrée de vacances le ....

4 Louis IX, plus connu sous le nom de Saint Louis, est né le 25 avril 1214. Il est mort le 25 août 1270 à Tunis lors de la huitième croisade. Combien d'années et de mois ce roi a-t-il vécu ?

....

Il a vécu ....

Les ouvrages les plus complets pour réviser en vacances et accompagner votre enfant toute l'année

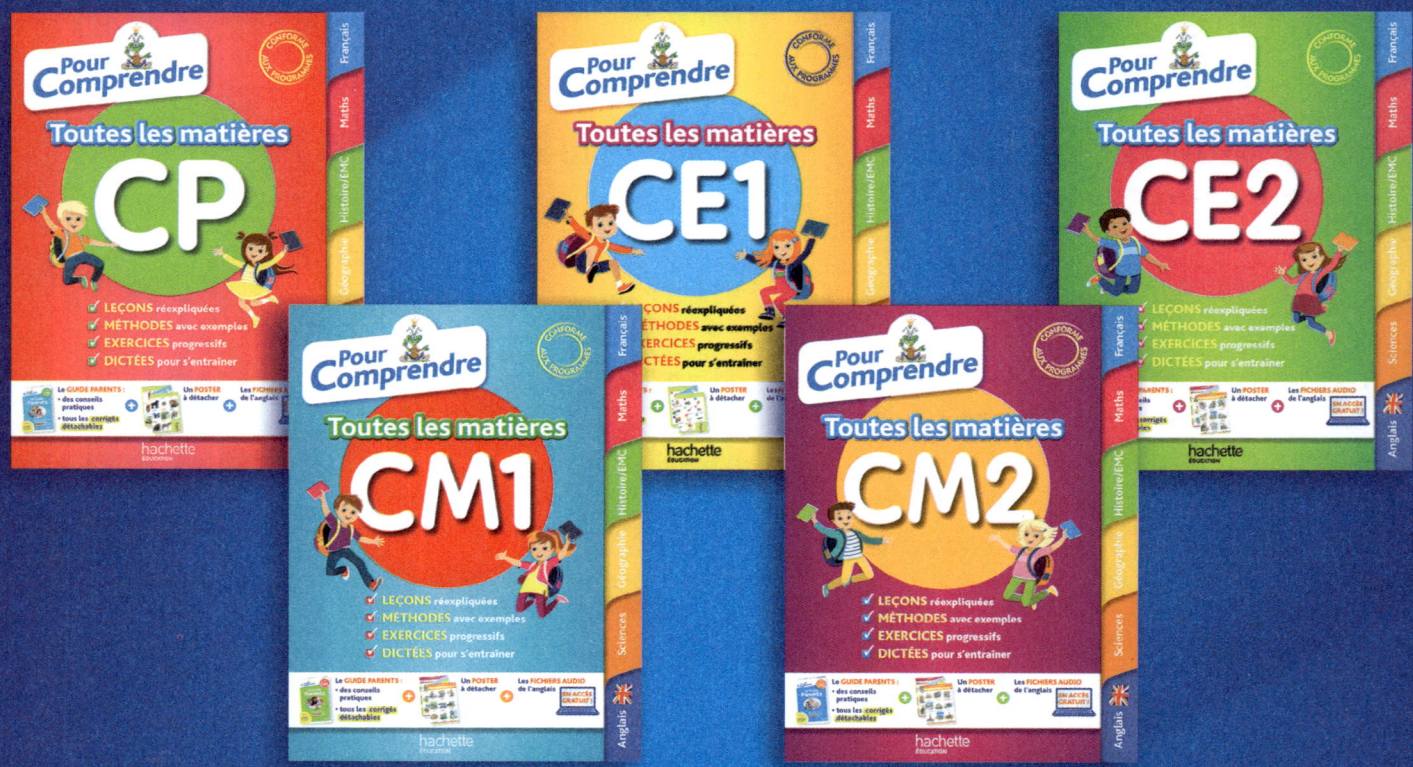

- **Leçons** réexpliquées
- **Méthodes** avec **exemples**
- **Exercices** progressifs
- **Dictées** pour s'entraîner

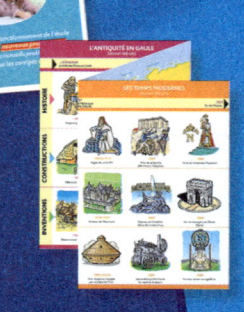

✓ **LE GUIDE PARENTS** AVEC :
 – des **conseils pratiques**
 – des **dictées**
 – les **corrigés détachables**

✓ **UN POSTER** À DÉTACHER
@ **LES FICHIERS AUDIO** en anglais

hachette ÉDUCATION